A Juan Aguilera Sastre y Enrique de Rivas

MANUEL AZNAR SOLER

VALLE-INCLÁN, RIVAS CHERIF Y LA RENOVACIÓN TEATRAL ESPAÑOLA (1907-1936)

COP D'IDEES SCCL

Taller d'investigacions

valleinclanianes

Portada: Ignasi Hölderlin

Edita: Cop d'Idees • T.I.V.
    C/. Sant Bartomeu, 11
    Tel. 93 / 675 54 01
    Fax 93 / 589 38 42
    08190 Sant Cugat del Vallès
    Barcelona
Imprès a Impremta Maideu - Ripoll

1.ª Edició setembre 1992
I.S.B.N. 84-87478-04-2
Dipòsit Legal GI 2.270-1992

PRÓLOGO

Esta "ventolera" de estudiar la relación teatral entre Valle-Inclán y Cipriano de Rivas Cherif se perpetró en los primeros meses del año 1989. Durante los días 18 y 19 de abril de ese mismo año, invitado por José-Carlos Mainer a participar –junto a él, Jesús Rubio y Éliane y Jean-Marie Lavaud– en un *Homenaje a Valle-Inclán* organizado por el Departamento de Filología Española de la Universidad de Zaragoza, tuve oportunidad de exponerla y debatirla por vez primera.

En diciembre de ese mismo año, gracias a la mediación de Pepe Sanchis Sinisterra, Moisés Pérez Coterillo nos encargó a mi compañero y amigo Juan Aguilera Sastre y a mí mismo la preparación del número 42 –y, por desgracia, último–, de los *Cuadernos El Público*, un monográfico dedicado a *Cipriano de Rivas Cherif. Retrato de una utopía*, para el que contamos con la generosa ayuda y amistosa colaboración de Enrique de Rivas, quien editó en él *Un Sueño de la razón,* una obra inédita de su padre que el Caracol estrenó el 5 de enero de 1929 en la Sala Rex de Madrid. Tras este cuaderno monográfico, decidimos el propio Juan Aguilera Sastre y yo mismo trabajar en un libro sobre Rivas Cherif que pensamos publicar en 1993. Algunos de los materiales documentales de este libro –que en buena parte debo tanto a su generosa amistad como a la de Enrique de Rivas, a quienes dedico este libro–, me han sido de gran utilidad para actualizar las notas de este trabajo.

Pues bien, en las páginas 11 a 19 de dicho *Cuaderno* publiqué un artículo titulado "Rivas Cherif, Valle-Inclán y la renovación teatral española, 1907-1936", a modo de breve síntesis de ese trabajo más extenso redactado a inicios de 1989 que constituye la columna vertebral del presente libro. Allí anunciaba un trabajo sobre "Cipriano de Rivas Cherif, Valle-Inclán y la Farsa y licencia de la reina castiza", que iba a publicarse en el número 1 de *Littera*, la revista del Departament de Filologia Espanyola de la Universitat Autònoma de Barcelona al que pertenezco y que, por motivos que no vienen al caso, aún no se ha publicado. Por último, con motivo del *Primer Congreso Internacional sobre Valle-Inclán y su época* que el Taller d'Investigacions Valleinclanianes de este Departamento ha convocado y que se celebrará del 16 al 20 de noviembre del presente año 1992 en nuestra universidad, se publica al fin, íntegro, como número 1 de la colección "Ventolera" de nuestro Taller.

Agradezco a los amigos de Cop d'Idees, y muy especialmente a Pep Garcia Cors, las facilidades dadas para esta coedición, que inicia una experiencia de colaboración –esperemos que larga y fecunda–, entre la Cooperativa y nuestro Taller.

Sant Cugat del Vallès, 28 septiembre 1992

VALLE-INCLAN, RIVAS CHERIF Y LA RENOVACION TEATRAL ESPAÑOLA (1907-1936)

Según propia confesión, Cipriano de Rivas Cherif conoció en 1907 a Valle-Inclán por mediación de Francisco Villaespesa, prologuista de sus *Versos de abril,* "un tomito de poquísima sustancia" modernista (1). En una de sus primeras visitas a Valle-Inclán, el joven Rivas Cherif quedó impresionado por la apasionada lectura desde la cama que el dramaturgo,

---

(1) Rivas Cherif, "El teatro en mi tiempo y mi tiempo en el teatro". **Tiempo de Historia,** 51, febrero de 1979, p. 52. Constituye sin duda un trabajo colectivo urgente el intentar una **Historia de la escena española,** trabajo que Andrés Amorós ha planteado enfáticamente en sendos artículos: "El estudio del teatro en España" (**Insula,** 493, diciembre de 1987, p. 21) y "La investigación teatral en España: hacia una historia de la escena". **Boletín informativo de la Fundación Juan March,** 177, febrero de 1988, pp. 3-12). En este segundo Amorós critica, con razón desde esta perspectiva, la **Historia del teatro español. Siglo XX,** de Francisco Ruiz Ramón, por el hecho de reducirse tan sólo a una historia -por lo demás excelente-, de la literatura dramática española. El propio Ruiz Ramón reconoce honestamente esta limitación de su obra al advertir que "es un libro incompleto" porque quedan "afuera de él o en sombras otros aspectos o elementos teatrales de capital importancia, como son los relativos al público, las compañías teatrales, el montaje y la representación, o la dirección escénica. Esto último hubiera exigido una investigación sobre la labor y la significación de hombres de teatro como Rivas Cherif o Martínez Sierra, para el período anterior a la guerra civil..." (**Historia del teatro español. Siglo XX.** Madrid, Cátedra, 1980, cuarta edición, p. 12). Este trabajo sobre las relaciones teatrales entre Rivas Cherif y Valle-Inclán pretende orientarse, pese a sus obvias limitaciones, en la dirección antes expuesta.

"entre vómito y vómito de sangre" (2), realizó de su "comedia bárbara" *Romance de lobos.* En 1908 Valle-Inclán, junto a Pío Baroja y Felipe Trigo, compusieron el jurado de un premio convocado por *El Cuento Semanal* cuyo ganador fue Gabriel Miró y en el que *Los cuernos de la luna,* de Rivas Cherif, quedó en tercer lugar (3). Por aquellos años Rivas Cherif intentó en vano ser actor profesional y, siempre según su testimonio, "Valle-Inclán y todos mis amigos escritores, no digamos mi familia, me desanimaban de la "carrera" de actor" (4). Pero al acabar sus estudios de Derecho, el padre de Rivas Cherif, a través del arzobispado de

(2) Rivas Cherif, **ob. cit,** p. 53. Sobre este hombre de teatro puede consultarse ahora **Cipriano de Rivas Cherif. Retrato de una utopía,** número monográfico de los **Cuadernos El Público** (42 iciembre de 1989), preparado por Juan Aguilera Sastre y Manuel Aznar Soler, con la colaboración de Enrique de Rivas. En él publiqué un artículo titulado "Rivas Cherif, Valle-Inclán y la renovación teatral española (1907-1936)" (**ob. cit.,** pp. 11-19), a modo de breve síntesis anticipadora del presente estudio. Juan Aguilera Sastre y yo mismo estamos a punto de terminar un libro sobre **Cipriano de Rivas Cherif y el teatro español de su tiempo (1891-1967),** que esperamos poder publicar durante 1993.

(3) "En 1908 me fue premiada una novellita, **Los cuernos de la luna,** en "El Cuento Semanal" por un jurado que formaban Valle-Inclán, Baroja y Felipe Trigo. De entonces data mi gran amistad con don Ramón, que duró toda la vida de él, hasta su muerte en 1936, y que me conservaba su viuda, la gran actriz que fue Josefina Blanco y sus hijos" (Rivas Cherif, "Memorias de un apuntador. El último apunte". **El Redondel,** México, 14-enero- 1968). **Los cuernos de la luna,** "novela de Leonardo Sherif" (sic), se publicó en la colección de "El Cuento Semanal" (66, 3- abril-1908), con ilustraciones de Juan Francés y como "cuento recomendado en nuestro Concurso".

(4) "En 1909, en otro concurso de El Liberal, de Madrid, me fue premiada y publicada una comedia en un acto, **El cristal con que se mira,** por un jurado compuesto por Jacinto Benavente, Joaquín Dicenta y el director del periódico. No se representó porque no respondí escénicamente a las condiciones del concurso, ajustadas a las del Teatro Lara, de Madrid, y su compañía. Mi afición teatral se rebelaba, sin embargo, contra lo establecido" (Rivas Cherif, "Memorias de un apuntador", **ob. cit.).** Esa premiada "comedia ingenua", fechada el 31 de diciembre de 1908, se publicó el 17 de mayo de 1909 en la página 3 de **El Liberal.**

Toledo, obtuvo para su hijo una beca de doctorado en el Colegio Español de Bolonia. De aquella experiencia italiana lo decisivo no iba a resultar su doctorado en Derecho sino su "descubrimiento" de Gordon Craig, director de una escuela de arte dramático en la Arena Goldoni de Florencia y editor de la revista *The Mask,* quien "determinó la definitiva perdición de mi vida por el teatro, y ni siquiera por el teatro comercial, por el teatro artístico" (5).

(5) "Pero lo que determinó la definitiva perdición de mi vida por el teatro, y ni siquiera por el teatro comercial, por el teatro artístico -que desde entonces vino a decir lo contrario de lo que se entendía por la "commedia dell'arte", es decir, del oficio-, fue mi descubrimiento de Gordon Craig, el Renovador fundamental del teatro en el siglo que casi tiene de existencia. Gordon Craig tenía una escuela en la Arena Goldoni de Florencia cuyas calles corría guiando cuatro caballos de lo alto de un mail-coach, con un chambergo cubriéndole la alborotada melena que ya empezaba a ser gris. Publicaba, sobre todo, su revista **The Mask,** que vino a constituir mi evangelio con el de los principales directores europeos" (Rivas Cherif, "Memorias de un apuntador", ob. cit., 21-enero-1968). Roberto Sánchez ha estudiado la relación entre "Gordon Craig y Valle-Inclán" en un tan interesante como -ya a estas alturas- insuficiente ensayo, publicado por la **Revista de Occidente** (tercera época, 4, febrero de 1976, pp. 27- 37), una relación teatral en la que, según Carlos Jerez Farrán, es "muy posible" que Rivas Cherif sirviese como intermediario (**El expresionismo en Valle-Inclán: una reinterpretación de su visión esperpéntica.** La Coruña, Ediciós do Castro, 1989, p. 133). Por su parte, Enrique de Rivas Ibáñez, hijo de Rivas Cherif, me aclara en carta particular que su padre "**nunca** trató personalmente a Gordon Craig. Sí fue admirador suyo desde que supo de sus teorías y de su teatro florentino; pero, aparte de que Rivas Cherif tenía sólo veinte años y no era más que un estudiante en el Colegio de España de Bolonia, sus recursos económicos eran escasos (treinta liras al mes) y no le permitían viajar para estar en hoteles y comer en restaurantes. Creo que en Florencia estuvo sólo dos veces, en Roma nunca" (Carta fechada en Roma el 25 de febrero de 1989). Enrique de Rivas, con el rigor que le caracteriza, ha preparado la edición de otro libro de su padre, titulado **Cómo hacer teatro** (Valencia, Pre-Textos, 1991), en donde Rivas Cherif vuelve a referirse a Gordon Craig (**ob. cit.,** especialmente pp. 36-37 y 271-272).

1.- Aliadofilia y "visión estelar" valleinclaniana

Al regresar de Italia a Madrid en 1914, Rivas Cherif conoció a Manuel Azaña -a la sazón secretario del Ateneo (6)-, y entró en contacto con la actriz Margarita Xirgu, para quien había traducido del italiano el drama *Assunta Spina,* del napolitano y antidannunziano Salvatore di Giacomo (7). Valle-Inclán -quien ya en agosto de 1913 era para él "mi

(6) El propio Rivas Cherif es autor de una biografía de Manuel Azaña, quien en febrero de 1929 acabaría casándose con Dolores de Rivas Cherif, hermana de Cipriano. La biografía se titula **Retrato de un desconocido. Vida de Manuel Azaña,** y fue publicada por la editorial mexicana Oasis en 1961. Para su segunda edición, publicada en 1981 por la editorial barcelonesa Grijalbo, Enrique de Rivas ha escrito una introducción, ha anotado el texto y, sobre todo, ha editado un valioso epistolario cruzado entre 1921 y 1937 que tiene por protagonistas a su padre y Azaña, materiales que vienen a enriquecer sustancialmente el valor documental del libro. Posteriormente ha editado también, acompañado por un estudio introductorio y notas, más **Cartas, 1917-1935 (inéditas)** entre ambos (Valencia, Pre-Textos, 1991), que, gracias a su generosa amistad, me fueron muy útiles para reconstruir la historia de "Manuel Azaña, dramaturgo: el estreno de La corona" (en AAVV, **Azaña.** Madrid, Ministerio de Cultura, 1990, pp. 251-269). En este epistolario vuelve a demostrarse que Valle-Inclán era constante punto de referencia entre ambos.

(7) "Al propio tiempo había debutado en Madrid una actriz de gran prestigio ya en Cataluña y en lengua catalana, que antes de traducirse al castellano, probó fortuna con gran éxito en Montevideo y en Buenos Aires: Margarita Xirgu. Ya había traducido para ella un gran drama italiano, **Assunta Spina**, del napolitano Salvatore di Giacomo, a quien el filósofo Benedetto Croce había "lanzado" en contra de D'Annunzio y el dannunzianismo. Pero Margarita ni caso me hizo, dada como estaba a su **Salomé,** a las traducciones francesas, Donnay, Bataille, Niccodemi -secretario entonces de la Rejane-, a los Quintero, que le habían adaptado la **Marianela** de Galdós, y de espaldas a su catalán vernáculo y a Valle-Inclán, quien le había prohibido representar **El yermo de las almas,** primera y nada buena entre las obras teatrales de Valle-Inclán" (Rivas Cherif, "Memorias de un apuntador", **ob. cit.,** 21-enero-1968). La memoria traiciona a Rivas Cherif, puesto que, como veremos en su momento, la Xirgu estrenó la obra en el Teatro Principal de Barcelona el 7 de enero de 1915 y la prohibición de Valle-Inclán se redujo a su estreno madrileño.

amigo y maestro", tal y como escribe en una reseña crítica de la edición en libro de *La Marquesa Rosalinda* y *El embrujado* (8)-, Gordon Craig, Manuel Azaña y Margarita Xirgu iban a ser cuatro personas decisivas en la trayectoria futura de Rivas Cherif.

Sabido es que, desde el otoño de 1912, Valle-Inclán se había instalado en Cambados y sólo esporádicamente acudía a Madrid desde su retiro gallego. En una de aquellas visitas a la capital, Rivas Cherif lo

(8) "Cúmpleme agradecer desde estas páginas a mi amigo y maestro el regalo de sus libros, pidiéndole excusa por no haber sabido resistirme al deseo de hacer público el deleite gustado con sus enseñanzas": así concluye el joven crítico de 22 años su elogiosa reseña de ambas obras dramáticas ("Teatro". **Revista de libros,** 3, agosto de 1913, p. 21). Esta temprana y lúcida reseña comienza por recordar el estreno en 1912 de **La Marquesa Rosalinda** y, "en cuanto a **El embrujado**", alude a que "aún calientes están las cenizas artísticas a que quedaron reducidos el empresario, el director y los cómicos y danzantes que se negaron a llevarla a la escena" (**ob. cit.,** p. 19). Por ello se congratula de su edición en libro y sentencia "que acaso la mayor gloria del raro D. Ramón, iconoclasta de idolillos, sea la de sugeridor, guía y consejero" (**ob. cit**), pues estas dos obras señalan, "de las **Memorias del Marqués de Bradomín** a este modo de ahora", una voluntad renovadora por la que apuesta en el futuro su joven admirador: "vivo con la confianza de verle continuamente poniendo a prueba la juventud de su ánimo en el descubrimiento de nuevas fórmulas" (**ob. cit**). Rivas Cherif relaciona **La Marquesa Rosalinda** con "un tono de romántica ironía" (**ob. cit.,** p. 21) que impregna las **Sonatas,** mientras que vincula **El embrujado** a las dos primeras **Comedias bárbaras,** para añadir una inteligente observación sobre la compatibilidad entre esas dos "tendencias" que poco después se iban a plantear como una ruptura radical: "En la obra total de D. Ramón señálanse claramente dos tendencias en su intención artística. Estas dos tendencias no aparecen casi nunca, claro está, separadas por Rubicón alguno, muchas veces se confunden, pero siempre predomina la una sobre la otra: la heroica y la graciosa" (**ob. cit.,** p. 21). En ese mismo agosto de 1913 y a propósito de **Troteras y danzaderas,** de Pérez de Ayala, Rivas Cherif enuncia, bajo la autoridad de Valle-Inclán, su futuro compromiso con el teatro como arte social por excelencia: "D. Ramón del Valle-Inclán supone que el porvenir de la moderna literatura está en el teatro. Creo que tiene razón. Ningún medio más a propósito para comunicarse con el público" ("Apuntes de una lección de estética". **Revista de libros,** 3, agosto de 1913,

entrevistó en el café de El Gato Negro cuando Valle-Inclán estaba a punto de viajar al frente francés durante la primera guerra mundial. En efecto, el dramaturgo había recibido una invitación oficial de aquel Gobierno a través del diputado Jacques Chaumié, quien en 1913 tradujo al francés *Romance de lobos*, obra publicada por el *Mercure de France* durante los meses de marzo y abril de 1914. La invitación correspondía al compromiso público del escritor, uno de los más prestigiosos firmantes del manifiesto francófilo que *Le Journal* publicó el 5 de julio de 1915 y que la revista *España*, fundada y dirigida por Ortega y Gasset, otro de sus firmantes, reprodujo en su número 24, correspondiente al 9 de julio de 1915 con el título de "Manifiesto de adhesión a las naciones aliadas". En su introducción al manifiesto de *Le Journal,* Chaumié "subrayó la importancia del apoyo de Valle- Inclán, 'jaimista fogoso', ya que los tradicionalistas eran en su mayoría furibundos germanófilos", mientras que Maurice Barrès, con motivo de la llegada del escritor a París, "sugirió que Valle-Inclán había tomado la iniciativa" (9) de dicho manifiesto. Por

pp. 14-15). Doce años después, al responder a una encuesta sobre "¿Quiénes son los seis o siete mejores novelistas españoles contemporáneos, representado cada cual en su obra más característica?", Valle-Inclán se decantó por **El escuadrón del Brigante**, de Pío Baroja; **La pata de la raposa**, de Pérez de Ayala; **Abel Sánchez**, de Unamuno; **Las cerezas del cementerio**, de Gabriel Miró; **Defensa y sitio de Baler**, del capitán Martín Cerezo, y **Del cautiverio**, de Ciges Aparicio, a las que -instado por el periodista a citar una suya-, añade las **Memorias del marqués de Bradomín,** para acabar con **Las capeas**, de Eugenio Noel y **El secreto de Barba Azul**, de Fernández Flórez. Por contra, manifiesta su olímpico desprecio por Ricardo León, Blasco Ibáñez y Azorín ("Encuesta sobre la novela". **Heraldo de Madrid,** 18- diciembre-1925, p. 2).

(9) Christopher H. Cobb, "Una guerra de manifiestos, 1914-1916". **Hispanófila**, 29, 1956, p. 52. El propio escritor afirmó que "ese documento fue, en su origen, una modesta iniciativa mía" y que constituyó "la única afirmación cristiana que se ha hecho en esta guerra" (**La Correspondencia de España**, 20-agosto-1915; apud Dru Dougherty, **Un Valle-Inclán olvidado: entrevistas y conferencias.** Madrid, Editorial Fundamentos, colección Espiral, 1982, p. 74). Jacques Chaumié es autor de un "estudio cosmopolita" sobre "Don Ramón del Valle-Inclán" que se publicó en la revista **Cosmópolis** (28, abril de 1921, pp. 601-625).

entonces el escritor se iba alejando progresivamente de las posiciones oficiales del tradicionalismo carlista y, así, un diario como *El País* se permitía afirmar en titulares que "Don Ramón del Valle-Inclán, aunque tradicionalista, no es un idiota embaucado. Todo lo contrario". En dicho periódico se manifestaba el entrevistado en contra de "esta guerra de la barbarie teutona" y afirmaba que para España el triunfo germano "representa la destrucción de nuestra labor espiritual, de nuestra raza, de nuestro idioma en América" (10). Como complemento de esta germanofobia, Valle-Inclán no ocultaba su aliadofilia francófila y, por ejemplo, en un fragmento de una carta fechada en enero de 1915 y dirigida a su amigo Estanislao Pérez Artime, el escritor le confiesa: "Yo tengo el compromiso de ir a Francia muy pronto. Quieren que escriba un libro de la guerra. Que el Gobierno francés me haya encomendado esta misión, te confieso que me llena de orgullo" (11). Por ello no debe sorprendernos ni que *El Correo Español*, periódico carlista y germanófilo, atacase el 20 de agosto de 1915 al escritor (12), ni que la entrevista de Rivas Cherif a Valle-Inclán se publicase precisamente en una revista tan claramente aliadófila como *España* (13). Esa aliadofilia común constituye, en aquel contexto histórico de 1916, un vínculo de complicidad política entre entrevistador y entrevistado.

Rivas Cherif, al introducir su entrevista a "mi paternal amigo Don Ramón", nos informa de la visita a Madrid del diputado Chaumié, el

(10) **El País**, 7-marzo-1915; apud Ch. H. Cobb, **ob. cit.,** p. 57.

(11) Apud José Caamaño Bournacell, "Los dos escenarios de **La media noche**". **Papeles de Son Armadans,** 127, octubre de 1966, p. 139.

(12) Apud Ch. H. Cobb, **ob. cit.,** p. 57.

(13) En la revista **España** se criticó con dureza el estreno de **La ciudad alegre y confiada** de Benavente (18-mayo-1916), significado germanófilo. Tanto Luis Araquistain como "Juan Español" y el propio Rivas Cherif atacaron en tres artículos publicados en su número 70 (25-mayo-1916, pp. 410-414) la escasa calidad dramática y la significación política reaccionaria de esa segunda parte de **Los intereses creados** Sobre la financiación aliada de **España** puede consultarse el artículo de Enrique Montero, "Luis Araquistain y la

traductor a la lengua francesa de *Romance de lobos,* obra cuya representación era inminente en París y "para la cual ya tenía preparados su autor curiosísimos elementos de decoración, cuando la declaración de guerra interrumpió la normalidad cotidiana" (14). Esta entrevista es importante por la actitud estética, por el "concepto" previo que Valle-Inclán tiene desde un café madrileño de esa guerra y de su reflejo literario en unas crónicas comprometidas con el diario *El Imparcial* que acabarán constituyendo su libro de *La media noche,* subtitulado "visión estelar de un momento de guerra". Pues bien, esa "visión estelar" ya se la expone Valle-Inclán a Rivas Cherif en El Gato Negro con absoluta precisión: "Yo quisiera dar una visión total de la guerra; algo así como si nos fuera dado el contemplarla sin la limitación del tiempo y del espacio" (15). Y, en respuesta al reproche que le formula un escritor contertulio, carlista y germanófilo, de que vaya a la guerra "sabiendo ya lo que va a ver", Valle-Inclán responde con rotundidad:

> Claro está, claro está. Yo tengo un concepto anterior, yo voy a constatar ese concepto y no a inventarlo. El arte es siempre una abstracción. Si mi portera y yo vemos la misma cosa, mi portera no sabe lo que ha visto porque no tiene el concepto anterior. La guerra no se puede ver como unas cuantas granadas que caen aquí o allá, ni como unos cuantos muertos y heridos que se cuentan luego en estadísticas; hay que verla desde una estrella, amigo mío, fuera del tiempo, fuera del tiempo y del espacio (16).

propaganda aliada durante la Primera Guerra Mundial". **Estudios de Historia Social,** 24-25, 1983, pp. 245-266

(14) Rivas Cherif, "Los españoles y la guerra. El viaje de Valle-Inclán". **España,** 68, 11-mayo-1916, p. 10. Dougherty esta vez no edita íntegro el texto, del que falta la introducción a la entrevista propiamente dicha.

(15) **Ob. cit.,** p. 11; apud D. Dougherty, **ob. cit.,** p. 78.

(16) **Ob. cit.,** p. 11; apud D. Dougherty, **ob. cit.,** p. 82.

Los lectores de la revista *España* aún pudieron conocer una segunda entrevista de Rivas Cherif a Valle-Inclán a su regreso de París, antes de que el escritor volviese a su retiro gallego de Cambados. Las declaraciones de Valle-Inclán son de admiración para el pueblo francés, de elogio a Berthelot, "heredero del espíritu de Talleyrand", y de lógica condena de la neutralidad española: "España no puede ser neutral después de la guerra. En realidad, tampoco lo es ahora" (17). Al margen de las opiniones políticas y de las impresiones personales del entrevistado, quien trae "curiosos trofeos: balas, granadas, un casco hendido y un libro muy curioso en elogio del ejército alemán, puesto en castellano por S.A.R. doña Paz de Borbón, infanta de España" -nota antidinástica y censura a la germanofilia borbónica-, Rivas Cherif anticipa que *Un día de guerra* será el subtítulo del libro de Valle-Inclán, en donde -afirma-, "no quiere hacer bocetos, apuntes, notas ni impresiones al vuelo de un aeroplano, sino *objetivarse* todo lo posible, evitar la emoción circunstancial e intentar la síntesis ideal de un día de guerra en su máxima tensión" (18).

Por tanto, además de la alidofilia que les vincula políticamente, Rivas Cherif entiende ya en 1916 con extrema lucidez la trayectoria estética de Valle-Inclán, su concepto de "visión estelar" y su voluntad de "*objetivarse* todo lo posible" en una obra como *La media noche*. A la complicidad política hemos de agregar -y es, sin duda, aún más importante-, su complicidad estética ya desde 1916, es decir, al menos cuatro años anterior a la publicación de su primer esperpento.

2.- Rivas Cherif, Azaña y el París de 1919-1920

Desde que en 1914 muriera Fernando Fortún a los veinticuatro años, Manuel Azaña iba a convertirse en el mejor amigo de Rivas Cherif, con el que iba a compartir experiencias políticas, intelectuales y artísticas

---

(17) Rivas Cherif, "Nuevos comentarios a la Guerra de las Galias. El regreso de Valle-Inclán". **España,** 76, 6-julio-1916, p. 8.

(18) **Ob. cit.**

de indudable relevancia histórica. Esta amistad iba a resultar tan decisiva como fecunda para ambos. En efecto, Rivas Cherif influyó en la trayectoria literaria de Azaña, cuya novela *El jardín de los frailes,* publicada en libro en 1927, le dedicó como explícito reconocimiento por su estímulo. Por su parte, el entonces secretario del Ateneo madrileño pertenecía al Partido Reformista de Melquíades Alvarez y su experiencia política y su madurez intelectual fueron determinantes para la sensibilidad y la formación de un Rivas Cherif que, once años más joven que él y tras un doble fracaso en su intento de ingreso en la carrera diplomática, va a orientar definitivamente su vocación artística hacia el teatro.

Durante aquellos años de 1914-1919 Rivas Cherif asistió en el Teatro Real de Madrid a las representaciones de "bailes rusos", "aquella manifestación esplendorosa en que moría bellamente el teatro de gran espectáculo del siglo XIX" (19), pero fue sensible también al desarrollo de la lucha de clases durante la huelga general revolucionaria de agosto de 1917. Al verano siguiente viajó con Azaña por el norte de España, desde La Coruña a Bilbao. Pero más importante resultaría para ambos su estancia desde octubre de 1919 hasta abril de 1920 en Francia, adonde Azaña fue invitado con motivo de la inauguración de la Universidad de Estrasburgo. Aquella experiencia determinó la sensibilidad tanto política (20) como artística de Rivas Cherif, por entonces traductor de libros para la editorial Calpe, sin duda un medio precario de subsistencia. En rigor, Azaña y él vertieron al castellano en aquellos días parisinos obras como *Los trasantlánticos,* una refundición de su novela cómica que el propio Abel Hermant realizó para la escena: "Mi amigo y yo la tradujimos creyendo que podría interesar a algún empresario de Madrid. No

(19) Rivas Cherif, **Retrato, ob. cit.**, p. 58. Ya en 1916 se había interesado por ellos en sendos artículos publicados en la revista **España** y titulados "Los bailes rusos" (71, 1-junio, pp. 10-11) y "Más de los bailes rusos" (72, 8-junio, pp.10-11).

(20) "Mi amigo me ha iniciado más que los periódicos y los libros en el conocimiento de la política francesa desde el proceso Dreyfus a nuestros días, de modo que pueda darme cuenta de personas y sucesos con cierto conocimiento de causa" (Rivas Cherif, **Retrato, ob. cit.**, p. 88).

conseguimos después ni que la leyeran" (21). Pero en el caso de Rivas Cherif la estancia en París iba a resultar decisiva por un doble motivo: porque se consolidó su vocación por un "teatro artístico" con el intento renovador de la escena española que supuso el Teatro de la Escuela Nueva y porque, junto a Azaña, fundaron a su regreso a Madrid la revista *La Pluma*, que pretendía ser un órgano de expresión de la renovación intelectual y artística española. En ambos intentos, el del Teatro de la Escuela Nueva y el de la revista *La Pluma*, consiguió Rivas Cherif la colaboración de Valle-Inclán.

El París que interesó ante todo a Rivas Cherif fue indiscutiblemente el París teatral de 1919-1920, que "era el de Copeau, reintegrado a su Vieux-Colombier después de su desengaño de Nueva York, el de los Pitoëff, el de la reaparición de la Duncan, el del estreno de *El sombrero de tres picos*, de Falla, por los bailes rusos de Diaghilef, a quien yo había conocido tres años antes en Madrid" (22). Sin embargo, como él mismo precisa, ni Lugné Poe, ni Cocteau con su *Buey en el tejado,* ni Darius Milhaud le sedujeron tanto como Jacques Copeau, "el más peculiar realizador, a la francesa, de las teorías de Gordon Craig" (23). El propio Rivas Cherif afirma con claridad la voluntad teatral renovadora que esa experiencia parisina le reportó:

> El ejemplo de la renovación llevada a cabo en París me seducía tanto más cuanto que los nuevos directores del movimiento teatral en toda Europa daban el ejemplo de su pobreza apasionada contra el vacuo esplendor del teatro rico (24).

(21) Rivas Cherif, **Retrato, ob. cit.**, p. 90.

(22) Rivas Cherif, **Memorias de un apuntador, ob. cit.**, 21- enero-1968. Al estreno de Falla y al Vieux-Colombier se refiere también Rivas Cherif en **Retrato de un desconocido, ob. cit.**, p. 93.

(23) Rivas Cherif, **Memorias de un apuntador, ob. cit.**, 21- enero-1968.

(24) Rivas Cherif, **ob. cit.**

En su artículo "Divagación a la luz de las candilejas", Rivas Cherif repasa los intentos de renovación teatral y señala al Copeau del Vieux-Colombier como quien "inicia victoriosamente una reacción saludable en los "teatros de arte": la preponderancia de la obra dramática", una orientación que -añade-, "paréceme la más acertada en cuanto implica ante todo la distinción de géneros y la fe en la literatura dramática" (25). Por contra, la situación de la escena española merece la condena inequívoca del crítico, quien denuncia "el rebajamiento industrial del teatro" y la necesidad de acabar con "tanta pobretería y desamparo artísticos":

> Gordon Craig propone como remedio la sustitución del actor, que humaniza excesivamente las proporciones y el tono de la obra dramática, por la marioneta ingrávida. Entre nosotros, D. Ramón del Valle-Inclán, cuya juventud interior reverdece a cada primavera, ensaya con mano maestra en su teatro la farsa heroica fuera del tiempo y el espacio de los escenarios actuales. Se habla de la posibilidad de contratar por una temporada el Teatro dei Piccoli, de Roma, cuyas representaciones descubrirían, como antaño los bailes rusos, nuevos horizontes a nuestros ojos, cansados de tanta pobretería y desamparo artísticos. (26)

(25) Rivas Cherif, "Divagación a la luz de las candilejas". **La Pluma**, 3, agosto de 1920, p. 117. Poco antes había publicado en el semanario **La Internacional** un artículo de título bien expresivo: "Un teatro modelo. El Vieux-Colombier de París" (31, 21-mayo-1920, p. 4).

(26) Rivas Cherif, "Divagación", **ob. cit.**, p. 119. Ernest Guasp nos recuerda que "Cipriano Rivas Cherif va iniciar la seva tasca en el teatre espanyol com a promotor, animador i propagandista de la primera tournée que van fer a Espanya, cap allà l'any 20, les marionetes de Podrecca" ("Rivas Cherif, director de teatre". **Mirador**, 24-octubre-1935, p. 5). En una carta fechada el 19 de marzo de 1925, Azaña se refería a la experiencia de Rivas Cherif con la compañía de Mimí Aguglia, quien había incorporado a su repertorio **La cabeza del Bautista,** de Valle-Inclán, y le recordaba que "todos son simpáticos y amables, hasta que hacen la primera trastada; ejemplo Podrecca" (apud **Retrato, ob. cit.**, p. 599), por lo que parece indudable que esa primera experiencia profesional de Rivas Cherif resultó, al cabo, desafortunada.

Rivas Cherif ejemplifica con Valle-Inclán las posibilidades de renovación dramática española en 1920. Y es que el contraste entre la vida teatral parisina y madrileña provoca "la triste estupefacción que en ánimo sensible como el mío había de causar el regreso a esta corte de la Mancha que es Madrid". Con gráfica expresión concreta el crítico ese profundo contraste: "la sensación fue como de caer de un sueño a un pozo" (27). Por tanto, como él mismo reconoce, "sin duda influyó no poco en mi opinión el recuerdo reciente de París" para decidirse a fundar "un teatro que no fuera uno más. Y menos que nada un "teatro artístico" (28), el Teatro de la Escuela Nueva, un teatro que pretendía romper la identificación entre "teatro artístico" y aburrimiento experimentalista, consecuencia del -a juicio de Rivas Cherif-, uso y abuso del concepto de "teatro artístico" durante los últimos veinte años. Y para él la dramaturgia de Valle-Inclán era en 1920 una posible salida de ese pozo en que se hallaba sumida la "pobretería" escénica española.

3.- El Teatro de la Escuela Nueva

Aunque Rivas Cherif ya se relacionó en París con el grupo "Clarté" de Henri Barbusse, cuyo manifiesto publicó la revista madrileña *Cosmópolis* en septiembre de 1919 (29), su relación con la Escuela Nueva o su colaboración en el semanario *La Internacional* -iniciativas ambas en

(27) Rivas Cherif, "El Teatro de la Escuela Nueva". **La Pluma**, 11, abril de 1921, p. 236.

(28) **Ob. cit.**, p. 237.

(29) "La Internacional de los intelectuales. El Manifiesto del grupo "Claridad". **Cosmópolis**, 9, septiembre de 1919, pp. 169-172. Firmaron este manifiesto, en tanto Comité de Dirección del grupo Claridad, los siguientes escritores: Anatole France, Henri Barbusse, V. Cyril, Roland Dorgelés, Georges Duhamel, Charles Gide, Henri Jacques, Laurent-Tailhade, Raymond Lefebvre, Madeleine Marx, Charles Richet, Séverine, Steinlen y Vaillant- Couturier. También en el número 1 del semanario **La Internacional** se publicó

donde el protagonismo de Manuel Núñez de Arenas resultó decisivo-, no implica en absoluto su militancia socialista ya que, como él mismo precisa, "la mayoría de los socios de la Escuela Nueva no somos socialistas y, lo que es más, los hay individualistas exaltados" (30). Pese a resaltar la absoluta independencia del Teatro de la Escuela Nueva en relación con cualquier clase de sectarismo político o de dogmatismo ideológico, Rivas Cherif justifica su denominación debido a "nuestra creencia de que el teatro es ante todo una acción social y por ello la suma expresión artística" (31). Como muestra claramente una nueva entrevista de Rivas Cherif a Valle-Inclán, publicada en el semanario *La Internacional*, en ambos se ha producido en los últimos años un mismo proceso de sensibilización

un extracto del manifiesto de Barbusse (18-octubre-1919, p. 8), mientras que en un número posterior apareció "Un manifiesto de la Internacional del Pensamiento", firmado por Barbusse, Romain Rolland y Georges Duhamel (17, 13-febrero-1920, p. 6) y aún en otro una nota sobre "Barbusse" (31, 21-mayo-1920, p. 2). Víctor Fuentes afirma sobre "Clarté" que "de la sección española, además de una mención que hace Rivas Cherif", se posee escasa información **(La marcha al pueblo en las letras españolas, 1917- 1936.** Madrid, Ediciones de la Torre, 1980, p. 49, nota 3). Rivas Cherif, en una reseña sobre **El resplandor en el abismo,** novela de Barbusse, afirma que el grupo Claridad es una "Liga de Solidaridad Intelectual para el Triunfo de la Causa Internacional -en cuyo Comité central figura Blasco Ibáñez en nombre de España", y que se sitúa, "con el lema general de "la Revolución en los espíritus", fuera de los cuadros políticos de los partidos socialistas, si bien dentro del socialismo como doctrina y de la Tercera Internacional como disciplina inmediata". Y, en el terreno personal, no tiene inconveniente en reconocer "que desde el primer momento nos adherimos al grupo "Clarté", de París, cuando aún no estaba constituída la sección española." ("Libros y revistas". **La Pluma,** 16, septiembre de 1921, p. 189). Azaña, en una carta fechada el 20 de junio de 1922, le escribe por su parte: "Cuando vengas tienes que firmar una carta de contestación a Barbusse" (C. Rivas Cherif, **Retrato, ob. cit.,** p. 529). J. Sánchez-Rivera publicó un artículo, "Henri Barbusse y la revista **España.** Una carta del maestro" **(España,** 333, 12 y 19 de agosto de 1922, p. 4), a cuya respuesta se refiere Azaña.

(30) Rivas Cherif, "El Teatro de la Escuela Nueva", ob. cit., p. 241.

(31) **Ob. cit.**

política e ideológica que cristaliza en una mayor conciencia histórica y artística, como vamos a tener ocasión de comprobar.

La experiencia anterior a 1920 de Rivas Cherif como director de escena es prácticamente nula, a excepción de una representación el 25 de marzo de 1918 de la *Fedra* de Unamuno en el Ateneo madrileño (32). Tras el éxito de crítica y público de *Un enemigo del pueblo,* de Ibsen, primera representación gratuita del Teatro de la Escuela Nueva en el Teatro Español de Madrid, realizada el 30 de junio de 1920 ante un público compuesto por los delegados al Congreso General de la UGT (33), se planteó la continuidad del grupo, que Rivas Cherif atribuye a la presión amistosa y conjunta del crítico Enrique Díez-Canedo, del mecenas Luis G. Bilbao y del propio Valle-Inclán:

(32) "De vuelta a Madrid, insté a Azaña a que hiciéramos una revista, **La Pluma,** donde obligarle a escribir. Y fundé por mi parte, con la pequeña experiencia de tres años antes en el Ateneo, donde representé la **Fedra,** de Unamuno, que la Guerrero y Díaz de Mendoza no habían querido hacer, pero para la que me prestaron los que ellos creyeron los peores actores de su compañía, me decidí a fundar el teatro experimental, de vanguardia se decía entonces, de la Escuela Nueva, más o menos inspirado en las teorías socialistas fabianas de Bernard Shaw" (Rivas Cherif, "Memorias de un apuntador", ob. cit., 21-enero- 1968). La **Fedra** unamuniana se publicó en la revista **La Pluma** (núms. 8, 9 y 10, correspondientes a los meses de enero, febrero y marzo de 1921, pp. 1-15, 65-78 y 129-139, respectivamente). El "Exordio", escrito por Unamuno para ser leído en ocasión de su estreno, se reprodujo también en la revista **España** (155, 28- marzo-1918, p. 12). Enrique Díez-Canedo, que firmaba sus artículos de crítica teatral en dicha revista con el seudónimo de "Critilo", reseñó el estreno ateneístico de la obra ("Semana teatral. La **Fedra** de Unamuno en el Ateneo de Madrid", 155, 28-marzo-1918, pp. 12-13), e hizo lo propio cuando su estreno comercial, acaecido en el madrileño Teatro Martín en abril de 1924 (E. Díez-Canedo, "Fedra". **El Sol,** 10-abril-1924; crónica recopilada en **Artículos de crítica teatral. El teatro español de 1914 a 1936.** México, Joaquín Mortiz, 1968, tomo cuarto, pp. 9- 15).

(33) Lógicamente, fue "Critilo" (Díez-Canedo) uno de los pocos críticos que publicó su reseña del estreno: "La semana teatral. Español: Un enemigo del pueblo". **España**, 270,

Ya en vías de realización el proyecto, bajo la dirección augusta del propio autor de las *Comedias bárbaras*, interrumpiéronlo ciertas dificultades económicas, con que nuestro optimismo no contaba, y la obligada ausencia de Valle-Inclán, retenido por la molicie familiar en su casal gallego (34).

Por tanto, la colaboración de Valle-Inclán en el Teatro de la Escuela Nueva fue sólo teórica, frustrada en la práctica por su "obligada ausencia". Sin embargo, ese año de 1920 está claro que resultó decisivo para la relación teatral entre Rivas Cherif y Valle-Inclán. Todos los datos de esta fecunda relación confirman la convicción de que a ambos les impulsa una misma voluntad renovadora de la escena española, una verdadera y profunda renovación, no sólo artística sino también ideológica, como atestigua la entrevista antes aludida y que el 3 de septiembre de 1920 publicó el semanario *La Internacional* con el título de "Respuesta de Valle-Inclán a las preguntas de Tolstoi", primera de una "serie de respuestas de los escritores españoles a las dos famosas preguntas del gran

3-julio-1920, pp. 13-15). Sobre este estreno del Teatro de la Escuela Nueva publicó el propio Rivas Cherif sendos artículos: "Una experiencia" (**La Internacional**, 37, 2-julio-1920, p. 4) y "Un ensayo de teatro del pueblo" (**La Libertad**, 2-julio-1920). Sobre el Teatro de la Escuela Nueva, además del artículo del propio Rivas Cherif ya mencionado en la nota 27, pueden consultarse los estudios de Juan Antonio Hormigón ("Valle-Inclán y el Teatro de la Escuela Nueva". **Estudios Escénicos**, 16, 1972, pp. 10-21) y, sobre todo, el muy documentado de Juan Aguilera Sastre, sin duda el estudioso más cualificado de Rivas Cherif, titulado "El Teatro de la Escuela Nueva de Cipriano Rivas Cherif". **Cruz Ansata**. Puerto Rico, 6, 1984, pp. 111-125.

(34) Rivas Cherif, "El Teatro de la Escuela Nueva", **ob. cit.**, p. 242. Poco antes puede leerse que "Don Ramón del Valle-Inclán y el poeta Luis G. Bilbao, incansable perseguidor del ocio ajeno, solivantaron de nuevo en las amistosas veladas veraniegas de nuestro círculo, mis aficiones teatrales, y al amparo de la revista **España**, y con graciosa intervención conminatoria de Díez-Canedo, surgió otra vez en el horizonte la inconsútil arboladura de mi teatro fantasma" (**ob. cit.**, pp. 241-242).

ruso: "¿Qué es el arte?" "¿Qué debemos hacer?" (35). Rivas Cherif entrevista a Valle-Inclán en su "verdadera cátedra", esto es, en la mesa del café. El texto publicado constituye, en rigor, un resumen de las ideas del dramaturgo que redacta su entrevistador tras la que podemos imaginar una conversación sincera y profunda. Lo cierto es que, lejos de fáciles simplificaciones, Rivas Cherif demuestra haber comprendido perfectamente la complejidad de la nueva actitud estética e ideológica de Valle-Inclán, una complejidad no exenta de contradicciones. Según el entrevistador, el dramaturgo sostiene que "no debemos hacer arte ahora, porque jugar en los tiempos que corren es inmoral, es una canallada. Hay que lograr primero una justicia social". Por tanto Rivas Cherif interpreta

(35) Esa encuesta fue presentada por Rivas Cherif en un artículo titulado "Dos preguntas de Tolstoi": "¿Qué debemos hacer los escritores españoles? ¿Permanecer en mentidos olimpos, o empuñar lar armas -las plumas- en la guerra civil, que ya arde en España, como quiere el ex-rector de Salamanca, don Miguel de Unamuno? En la revolución que empieza, ¿debemos atizar el fuego con el de la propia inspiración, o apagar las mechas de las bombas, como aconsejaba desde un periódico hace meses uno de los cronistas de estos tiempos más veraces y sensibles, Luis Bello? (...) La Internacional se propone repetir individualmente a los escritores españoles las dos preguntas famosas del conde Tolstoi" (45, 27- agosto-1920, p. 4). La Internacional apareció semanalmente a partir del 18 de octubre de 1919. Antonio Fabra Ribas fue el director de sus primeros 23 números, siendo sustituido por Manuel Núñez de Arenas, hasta entonces secretario, al reorganizarse el Consejo de dirección en marzo de 1920. Sobre esta interesante publicación puede consultarse el estudio de Manuel Tuñón de Lara, "El semanario "La Internacional", en A.A.V.V., **Prensa y sociedad en España (1820-1936)**. Madrid, Edicusa, 1975, pp. 281-290. Tuñón de Lara destaca la publicación en sus páginas culturales de "diez colaboraciones" (**ob. cit.**, p. 287) de Rivas Cherif, que según mis notas no son todas, pues tan sólo hasta agosto de 1920 cabe mencionar: "El teatro del pueblo" (26, 16-abril, p. 4), "Versos libres" (28, 1-mayo, p. 1), "Las Fiestas del Pueblo. El himno a la alegría" (29, 7-mayo, p. 5), "Los poetas precursores. Émile Verhaeren" (30, 14-mayo, p. 5), "Un teatro modelo. El Vieux-Colombier de París" (31, 21-mayo, p. 4), "Isidora Duncan y la revolución" (32, 28-mayo, p. 4), "El teatro pacifista en Francia después de la guerra" (33, 4-junio, p. 4), "Fantoches y marionetas" (34, 11-junio, p. 4), "Kurt Eisner" (35, 18-junio, p. 4), "Nuevos

que "así, don Ramón no quiere hacer "arte puro"; prefiere hacer historia solamente" (36). Y se refiere a dos obras en curso de publicación: la *Farsa y licencia de la Reina Castiza*, a la que por su especial interés dedicaremos un capítulo aparte, y a *Luces de bohemia*, primer "esperpento" del autor, un concepto estético que Rivas Cherif definía entonces en estos términos:

modos y modas del arte" y "Una experiencia" (37, 2-julio, p. 4), "Pasión y muerte de Jeanne Labourbe" (38, 9-julio, p. 4), "La lucha por la libertad", de Douglas Golding" (39, 16-julio, p. 4), "Los caballos de Elberfeld" (42, 6-agosto, p. 4), "Stendhal" (43, 13- agosto, p. 4), "Enriqueta Roland Holst" (44, 20-agosto, p. 4) y "Dos preguntas de Tolstoi" (45, 27-agosto, p. 4), último número que se conserva en la Biblioteca Nacional de Madrid de una colección completa hasta este número 45 inclusive.

(36) "Hombres, letras, arte, ideas.- ¿Qué es el Arte? ¿Qué debemos hacer?- Respuesta de Valle-Inclán a las preguntas de Tolstoi" (46, 3-septiembre-1920, p. 4), respuesta que incluye una ilustración que reproduce un retrato del escritor, realizado por Anselmo Miguel Nieto. Dru Dougherty la reproduce fragmentariamente en **ob. cit.**, pp. 100-104, omitiendo sus cuatro primeros párrafos, que se inician con una afirmación contundente: "De todos los escritores españoles contemporáneos, ninguno como D. Ramón del Valle-Inclán suscita nuestra admiración. La cual ni se reduce a la obra puramente literaria, ni al afecto personal se limita. Pues de tal manera es aquélla autobiográfica, que mal podríamos separar en nuestro ánimo la inclinación amistosa por el hombre de la preferencia por el escritor". En el archivo de la Fundación Pablo Iglesias puede consultarse una colección incompleta de este semanario, en que, además de este número, se conservan otros en que se publican las respuestas de diversos escritores españoles a la encuesta de Rivas Cherif, como Unamuno (49, 24-septiembre-1920, p. 4), Azorín (50, 1-octubre-1920, p. 4), Manuel Machado (51, 8-octubre-1920, p. 4), Antonio Espina (52, 15-octubre-1920, p. 4) y Luis Fernández Ardavín (53, 21- octubre-1920, p. 4). En un texto titulado "Los artistas y la revolución", tras comentar tanto la huelga general de 1917 como la actitud de ciertos ateneístas ante ella, Rivas Cherif escribía: "El deseo de saber cuál debe ser nuestra actitud en la revolución, cuyos rojos albores iluminan ya trágicamente el Levante español, nos ha movido a formular en la revista socialista **La Internacional** las dos preguntas que el conde Tolstoi se hizo ante el mundo, con apostólico narcisismo: **Qué es el arte? Qué debemos hacer?**. Don Ramón del Valle-Inclán, Juan R. Jiménez, han contestado ya. El arte es un juego -dice el primero- y ahora no se debe jugar. El arte lo es en cuanto desprovisto de

"Esperpento" llama a un "subgénero" de la farsa en que las acciones trágicas aparecen tal y como se muestran en la vida actual española, sin grandeza ni dignidad alguna. Inicia con éste una serie de "estudios dramáticos", que pudiéramos decir de los fenómenos sociales precursores de la futura revolución española (37).

Es la primera precisión conceptual de Rivas Cherif acerca del esperpento, al que en 1920 caracteriza erróneamente como un "subgénero" de la farsa", pero en donde sí acierta ya a advertir que las acciones trágicas quedan desvalorizadas por el contexto histórico y social de la "vida actual española" y, por ello, se revelan "sin grandeza ni dignidad alguna", degradadas en fin. Sin embargo, esta evolución estética e ideológica de Valle-Inclán no está exenta de contradicciones, que Rivas Cherif acierta a plantear con inteligente lucidez:

El mejoramiento social que Valle-Inclán quiere, ¿hasta qué punto es compatible con su carlismo de antaño? ¿Es D. Ramón un convertido al Socialismo? No. Don Ramón es bolchevique, o si se quiere bolcheviquista, en cuanto le inspiran una gran simpatía los "procedimientos antidemocráticos dictatoriales" de que los bolcheviques se valen "en pro de un ideal humanitario" que, a su entender, sólo una minoría puede imponer al mundo . El

toda utilidad. Ahora, hay que hacer literatura revolucionaria; el **panfleto**, la **sátira**, deben ser las armas del escritor" ("Los artistas y la revolución". **España**, 281, 18-septiembre-1920, p. 10).

(37) Rivas Cherif, entrevista a Valle-Inclán, **ob. cit**; apud D. Dougherty, **ob. cit.**, pp. 102-103.

patriarcalismo de un Tolstoi, de un León XIII, junto con el inflamado verbo catequizador de un San Pablo, de un Fray Diego de Cádiz, de un Lenin, y el espíritu militar de un "condottiero" italiano o de un Porfirio Díaz, constituyen el ideal político de este hombre, quizá a su pesar magníficamente quijotesco y anárquico (38).

Ese año de 1920 es muy importante para la dramaturgia valleinclaniana porque en él se publicaron las primeras ediciones de la *Farsa y licencia de la Reina Castiza* (39), de *Luces de bohemia* (40), y la

(38) **Ob. cit.**; apud **ob. cit.**, pp. 103-104. Es muy interesante, por otra parte, la valoración que, en oposición al naturalismo y a vanguardias como el cubismo o el dadaísmo, realiza Rivas Cherif del expresionismo: "Más claro: nos parece que el expresionismo no es una academia como la que los cubistas inventaron, ni una simple protesta como las grotescas fanfarronadas **dadá** con que se anuncian en el mercado de París los charlatanes -graciosísimos algunos- del arte; el expresionismo puede ser la bandera de la revolución artística que, poco a poco, ha de conquistar el mundo como la revolución social. Y en ese sentido, podemos oponer el expresionismo al naturalismo triunfante en el siglo pasado" ("Nuevos modos y modas del arte". **La Internacional,** 37, 2-julio-1920, p. 4). "Los ultraístas son unos farsantes", esa afirmación que Max Estrella formula en la escena duodécima de una obra tan "expresionista" como **Luces de bohemia,** ilumina así su sentido, a la luz de esta valoración alumbrada por Rivas Cherif.

(39) **La Pluma,** 3, agosto de 1920, pp. 97-112; 4, septiembre de 1920, pp. 145-164 y 5, octubre de 1920, pp. 195-206.

(40) **España,** núms. 274 a 286, entre el 31 de julio y el 30 de octubre de 1920. Ian Gibson, entre diversos proyectos de estreno de Rivas Cherif, asegura su interés por este esperpento: "El primero del cual tenemos noticia es del verano de 1932. El 4 de mayo de aquel año el **Heraldo de Madrid** anuncia, en su habitual "Sección de rumores" teatral, que el incansable Cipriano Rivas Cherif tiene la intención de montar, en una nueva compañía formada por actores parados afiliados a la Asociación General de Actores de España, una serie de obras avanzadas, entre ellas **Luces de bohemia,** de Valle-Inclán, **14 de julio,** de Romain Rolland, y **El público,** de Lorca. Pero aquel proyecto, del cual no tenemos hasta la fecha más noticias, no fructificó" ("El insatisfactorio estado de la cuestión", en AAVV, **El público,** número 20 de los **Cuadernos de El Público,** enero de 1987, p. 16).

edición en libro de *Divinas palabras* (41), obra "que sólo conocíamos, ridículamente mutilada, con un criterio de "sábado blanco", al publicarse antaño en *El Sol* "(42). Para Rivas Cherif era obvio que estas tres obras, -una "farsa", un "esperpento" y una "tragicomedia de aldea"-, denotaban un cambio estético e ideológico de Valle-Inclán que, en aquel año de 1920, nadie como él supo caracterizar con tanta precisión. Así, en su reseña crítica de *Divinas palabras*, al margen de saludar jubilosamente al dramaturgo como uno "de los raros escritores de conciencia, para quienes la literatura se confunde con la moral más alta" (43), y de afirmar que "no hay en España escritor más joven" (44), apuntaba a una depuración valleinclanesca de la norma tragicómica y resaltaba con inteligente perspicacia el "monstruoso desacuerdo entre la acción dramática y la contemplación del público", una "contraposición de perspectivas sentimentales" tan fronteriza ya con la estética esperpéntica:

(41) Madrid, colección de **Opera Omnia**, volumen XVII, 1920.

(42) Rivas Cherif, "Ramón del Valle-Inclán. Divinas palabras". **La Pluma**, 3, agosto de 1920, p. 137. Contamos ya, afortunadamente, con una edición crítica de la obra, preparada por Luis Iglesias Feijoo (Madrid, Espasa-Calpe, nueva colección de Clásicos Castellanos, 1992).

(43) **Ob. cit.**, p. 138.

(44) **Ob. cit.**, pp. 137-138. También en su brevísima reseña crítica de la edición en libro de **El pasajero. Claves líricas. Farsa de la enamorada del rey** (Sociedad General de Librería, 1920), Rivas Cherif se reitera en esa convicción suya sobre Valle-Inclán, "a quien no vacilamos en llamar el más joven de los escritores españoles" ("Libros y revistas". **La Pluma**, 1, junio de 1920, p. 42).

Ha intentado depurar esa norma, deduciendo la emoción tragicómica, no de la parodia que sigue a la escena grave, sino del monstruoso desacuerdo entre la acción dramática y la contemplación del público. Es decir, que en tanto los actores se rinden al espanto con que la terrible fatalidad los domina, el espectador ideal se siente movido a risa. Mientras que cuando los personajes del drama se elevan con hiperbólica ironía sobre las circunstancias macabras de la intriga, el espectador se siente sobrecogido. Efecto que consigue con una contraposición de perspectivas sentimentales (45).

Tras la representación de *Un enemigo del pueblo*, Rivas Cherif declaraba que el Teatro de la Escuela Nueva "ensaya un Teatro popular, en el que, a semejanza del teatro oficial de los Soviets de Rusia, establecido por el comisario de Instrucción Pública, Lunatcharski, *en tanto no surge el dramaturgo capaz de sintetizar en su obra la conciencia unánime del pueblo,* se exalten sus virtudes heroicas con la representación de las grandes obras de todos los tiempos" (46). Y en un fragmento de su ensayo titulado "Divagación a la luz de las candilejas", se reiteraba en esa misma convicción, ya que "en tanto no surge el poeta trágico capaz de plasmar la

---

(45) **Ob. cit.,** p. 138.

(46) Rivas Cherif, "Un ensayo de teatro del pueblo". **La Libertad,** 2-julio-1920 (el subrayado es nuestro). En este interesante artículo, Rivas Cherif intentaba precisar el concepto de teatro popular desde la convicción de que "el Teatro del Pueblo no existe aún" y de que éste nada tenía que ver con la reducción del precio de las entradas en los teatros comerciales, es decir, con el teatro comercial a precios populares. Tras su experiencia con el Teatro de la Escuela Nueva, sin embargo, podía afirmar con indudable optimismo que existían "un público y unos cómicos posibles. De menos hizo Dios el Teatro del Mundo", aunque a su juicio el problema fundamental era el de la carencia de repertorio: "Son muy pocas, sin embargo, las obras escénicas que denotan esa colaboración entre el poeta trágico y el pueblo inspirador y no sólo sujeto paciente, indispensable para plasmar en forma dramática los nuevos mitos creadores del porvenir" (**ob. cit.**).

historia de su tiempo", era menester "levantar el ánimo público con las representaciones heroicas de los tiempos caducos" (47). Es obvio que Valle-Inclán era para Rivas Cherif la esperanza dramatúrgica española, porque en 1920 su obra dramática ya representaba, sin duda, todo un símbolo de la renovación teatral. Por ello no debe sorprendernos el hecho de que el director del Teatro de la Escuela Nueva se planteara entonces la creación de un Teatro de los Amigos de Valle-Inclán como un proyecto coherente con su voluntad escénica renovadora.

4.- El "Teatro de los Amigos de Valle-Inclán"

La génesis de ese Teatro de los Amigos de Valle-Inclán se relaciona con un amistoso intercambio epistolar publicado en las páginas de *España* entre Rivas Cherif y "Critilo", seudónimo con el que Enrique Díez-Canedo publicaba sus críticas teatrales en la revista. "Critilo" reseñó el estreno de *Un enemigo del pueblo* (48), un "reciente ensayo de teatro popular organizado por la Escuela Nueva en el Español" (49) según su propio director. Pues bien, el propio "Critilo" escribió a continuación un artículo sobre el romano Teatro dei Piccoli, dirigido por Vittorio Podrecca, que acababa con la siguiente pregunta: "Amigo Cipriano Rivas Cherif, ¿por qué no hay entre nosotros un "Teatro dei Piccoli?" (50). Éste le responde en una carta abierta en donde, tras señalar su conocimiento directo de las experiencias renovadoras europeas (Gordon Craig, las representaciones del Vieux-Colombier de Jacques Copeau, las puestas en

(47) Rivas Cherif, **ob. cit.,** p. 118.

(48) "Critilo" (E. Díez-Canedo), "La semana teatral. Español: **Un enemigo del pueblo**". **España,** 270, 3-julio-1920, pp. 13-15.

(49) Rivas Cherif, "Nuevo repertorio teatral. En propia mano (A Critilo, crítico teatral en **España)". España,** 277, 21-agosto- 1920, p. 13.

(50) "Critilo", "La vida literaria. El teatro de los niños". **España,** 272, 17-julio-1920, pp. 16-17.

escena de Gémier, Reinhardt, Pitoëff, conocidas por sus estancias en Italia y Francia), afirma su renovadora voluntad de "intentar lo contrario que el señor Benavente en el clásico corral que actualmente dirige, o que el señor Martínez Sierra, pongo por falsificador de moneda literaria y ladino corruptor de menores en punto a buen gusto" (51). Rivas Cherif confiesa que se aburre en los teatros madrileños, asfixiados en su "pobretería" literaria y escénica, y que, por ello, "un teatro para niños me parece un buen pretexto para que nos divirtamos los mayores": un teatro cuyo repertorio aunaría, desde los clásicos universales (Aristófanes, Shakespeare, Lope, Calderón, Molière, Schiller, Ibsen, Tolstoi) hasta autores contemporáneos como el propio Benavente (*El príncipe que todo lo aprendió en los libros*), Tagore (*El cartero del rey*), Unamuno (*La venda*), "el repertorio casi inédito de los hermanos Millares" y, cómo no, "las obras de Valle-Inclán, proporcionadas algunas -como *Divinas palabras* o esa graciosísima *Farsa de la Reina Castiza* que ha empezado a publicar *La Pluma*- al marco ideal de un teatro de marionetas" (52). No incurre Rivas Cherif en infantilismos al caracterizar ese "teatro de los niños" como un teatro también para adultos y, por ello, "será menester que nuestro "pequeño" teatro no se condene a prematura limitación. La *Cándida* de Bernard Shaw, pongo por caso, no es ciertamente obra adecuada al entendimiento de un niño. Representémosla, sin embargo" (53). Un hombre de acción teatral como Rivas Cherif era obvio que no quería construir castillos en el aire sino que, tal y como advierte a "Critilo", pretende obtener el apoyo económico de Luis G. Bilbao, mecenas de la revista *España*, para fundar sólidamente ese nuevo teatro. Y, en efecto, en el brevísimo plazo de una semana Rivas Cherif dirige al propio Díez Canedo una "Segunda carta abierta sobre un teatro nuevo", en donde le informa jubilosamente de la fundación de ese Teatro de los Amigos de Valle-Inclán:

(51) Rivas Cherif, "Nuevo repertorio teatral", **ob. cit.**, p. 13.

(52) **Ob. cit.**

(53) **Ob. cit.**

Todo esto, repito, no es hablar por hablar, ni mero pretexto para exponer un programa, más o menos erudito, de reivindicaciones artísticas en el teatro. El nuestro está ya fundado. Y digo "nuestro" desde luego, porque su solo nombre me confiere, con tal derecho, la obligación de contribuir, como sea, a su sostenimiento. Se llama simplemente "de los Amigos de Valle-Inclán". Luis Bilbao lo ha bautizado así. El título es por demás significativo (54).

Rivas Cherif se siente comprometido moralmente en 1920 a explicar esa significación dramatúrgica valleinclaniana, que fundamenta en la calidad escénica -esencialmente plástica- de su dramaturgia y en la actitud del autor de haber asumido desde 1913 su ruptura con el teatro comercial, actitud que le confiere la condición de precursor de la renovación escénica española:

De antiguo viene peleando don Ramón por el adecentamiento de la escena española. Desengañado de los "saloncillos", hace mucho tiempo que rehuye toda colaboración con los empresarios al uso. Su concepto del teatro es claro y sencillo. Se reduce a "interpretar" las obras dramáticas. No en vano tiénese a Valle-Inclán por estilista (...) El teatro, en fin de cuentas, no viene a ser sino eso, "estilo", un tono y una manera que "representen" y "caractericen" la realidad. Pero la representación dramática es esencialmente plástica. Don Ramón del Valle-Inclán es tal vez el único escritor español que "encuadra" sus obras en un ambiente pictórico. Ha de ser necesariamente gran director de escena (55).

(54) Rivas Cherif, "Los "Amigos de Valle-Inclán". Segunda carta abierta sobre un teatro nuevo". **España**, 278, 28-agosto- 1920, p. 12.

(55) **Ob. cit.**, p. 13.

Con su proverbial optimismo, Rivas Cherif analiza otros elementos fundamentales del nuevo Teatro de los Amigos de Valle-Inclán: "cómicos" posibles (actores como Mariano de Larra, Pedro Codina, Manuel González, Xavier del Arco o actrices como Josefina Blanco -la mujer de Valle-Inclán-, Anita Martos, Julia Martínez, Rosario Muro, Raimunda de Baek, Esther Azcárate, pero no, sorprendentemente, Magda Donato); pintores y decoradores (Romero de Torres, Ricardo Baroja, los Zubiaurre, Néstor de la Torre, Moya del Pino, Penagos, Vivanco, Bagaría, los hermanos Villalba); público -"nos constituiremos en Sociedad, a semejanza de la ejemplar Filarmónica de la Nacional de Música"-, y repertorio, con el proyecto de una representación mensual, a partir del invierno de 1921, de *Los hermanos Karamazoff*, de Dostoievski; la *Cándida*, de Bernard Shaw; *La guarda cuidadosa*, de Cervantes; el *Manolo*, de Don Ramón de la Cruz; *El hombre del destino*, de Bernard Shaw; *El condenado por desconfiado* y el *Falstaff*. Rivas Cherif imprime al grupo un marcado carácter didáctico: "Para un teatro se necesitan cómicos. No ha de ser difícil hallarlos. Nos proponemos que el nuestro sea una Academia. Maestros no han de faltar (...) Escuela también de pintores y decoradores será nuestro teatro" (56). Ese Teatro, a la vez "Academia" de actores y "Escuela" de escenografía, sabemos por una nota anónima del *Heraldo de Madrid* que estaba previsto que fuese dirigido por el propio dramaturgo: "de la dirección artística se encargará Valle-Inclán, que cuenta con la colaboración de renombrados pintores y dibujantes" (57),

(56) Ob. cit., p. 13. Una nota anónima del **Heraldo de Madrid** resaltaba también -en esa "empresa digna de elogio y estímulo" que a su juicio era el "Teatro de los Amigos de Valle-Inclán"- ese mismo carácter didáctico, pues "servirá al propio tiempo de academia para la educación escénica de artistas principiantes" ("La farándula. Los amigos de Valle-Inclán quieren hacer un teatro selecto". **Heraldo de Madrid**, 1-noviembre-1920; apud J. Aguilera Sastre, **ob. cit.**, p. 123, nota 24). **La fiera**, de Galdós, y **Las alegres comadres de Windsor**, de Shakespeare, eran también, según el periódico, posibles obras de su repertorio.

(57) **Ob. cit.** Díez-Canedo, en su respuesta a Rivas Cherif, saludaba con júbilo su nueva iniciativa teatral ("no diremos que ha nacido, porque ya existía, sino que ha tomado

una colaboración que parecía ser real, tal y como hemos tenido ocasión de comprobar anteriormente en la transcripción de la nómina de los Amigos de Valle-Inclán. Pero también vimos que esa posible colaboración se frustró "por la obligada ausencia de Valle- Inclán" (58), y que el Teatro de los Amigos de Valle-Inclán no tomó el relevo del Teatro de la Escuela Nueva, tal y como Rivas Cherif hubiera deseado. Por tanto, este Teatro de los Amigos de Valle-Inclán, al que su fundador se referirá más tarde como "mi teatro fantasma" (59), no fue en la práctica sino otro proyecto azul cautivo en el gris, pero que nos sirve para reafirmar la cuestión importante que ahora nos atañe: la de que para Rivas Cherif, Díez Canedo, García

conciencia de su misión con respecto al arte dramático el grupo de "Los amigos de Valle-Inclán"), aunque censura su propia denominación: "Yo elegiría un nombre así como el de "Nueva Sociedad Dramática" o "Agrupación de Arte Escénico", en que, definiéndose un propósito, se alejara todo particularismo" (Critilo, "La semana teatral. "Los amigos de Valle-Inclán". Carta abierta a Cipriano Rivas Cherif". **España**, 280, 11-septiembre-1920, p. 14).

(58) Rivas Cherif, "El Teatro de la Escuela Nueva", **ob. cit.**, p. 242. La actriz Magda Donato, hermana de Margarita Nelken, llamada por Rivas Cherif la "verdadera musa de carne y hueso" del Teatro de la Escuela Nueva (**ob. cit.**, p. 242), declaraba en una entrevista de 1925: "Luego, al fundarse la Sociedad de Amigos de Valle-Inclán, estuve ensayando varias cosas, bajo la dirección de D. Ramón. Al terminarse esto..., sin haber empezado..." (Rafael Marquina, "El caso de Magda Donato. La imposibilidad de contratarse". **Heraldo de Madrid**, 28-noviembre-1925; apud J. Aguilera Sastre, **ob. cit.**, p. 120). Alfonso Reyes, por su parte, confirma también esa participación de Valle-Inclán en un fragmento de su **Tertulia de Madrid**: "Antes de las tres ya estaba en el Ateneo, dirigiendo los ensayos del Teatro de la Escuela Nueva, aconsejando a Rivas Cherif más energía y sobriedad, o más gracia y soltura a Magda Donato, representando los papeles de todos; creando de nueva cuenta las obras con sus interpretaciones personales" (apud Juan Antonio Hormigón, **Valle-Inclán. Cronología. Escritos dispersos. Epistolario**. Madrid, Fundación Banco Exterior, 1987, p. 547).

(59) Rivas Cherif, "El Teatro de la Escuela Nueva", **ob. cit.**, p. 242.

Bilbao y demás actores y pintores que componían los Amigos de Valle-Inclán, la dramaturgia de éste representaba en 1920 el símbolo de la necesaria renovación escénica española.

El rápido fracaso del Teatro de los Amigos de Valle-Inclán posibilitó que Rivas Cherif se plantease una segunda etapa del Teatro de la Escuela Nueva, cuyas actividades se reemprendieron el 15 de marzo de 1921 -gracias a la decisiva ayuda de la actriz Magda Donato, hermana de Margarita Nelken-, con la representación en el Ateneo madrileño del drama de Synge *Jinetes hacia el mar*, traducido por Juan Ramón Jiménez y Zenobia Camprubí, y "esa pequeña maravilla cervantina que es *La guarda cuidadosa*" (60). Según Juan Aguilera Sastre, en esta segunda etapa del Teatro de la Escuela Nueva y tras la frustrada colaboración de Valle-Inclán, se desarrollaron en el hotel Ritz cuatro representaciones del primer abono (*Jinetes hacia el mar*, de Synge, y *La guarda cuidadosa*, de Cervantes, el mismo programa presentado el 15 de marzo en el Ateneo ante la prensa a modo de ensayo general), para ofrecer el 9 de abril el segundo abono, compuesto por *El rey y la reina*, de Tagore, y el *Manolo*, de don Ramón de la Cruz. De nuevo *Jinetes hacia el mar* y *La guarda cuidadosa*, más el estreno de *Compañerito*, de los hermanos Millares, constituyeron el 2 de mayo el tercer abono, mientras que para el 20 de mayo estaba previsto el estreno de *La voz de la vida*, de Bergstriom, representación aplazada por el propio Rivas Cherif con el fin de realizarla en el Teatro Español, dirigido en aquel momento por Benavente. Pero cuando el 17 de junio va a producirse por fin dicho estreno, una orden de la Dirección General de Seguridad, cuyo director era entonces Millán de Priego, la prohibe por motivos confusos, entre los cuales acaso resultara decisivo el anuncio de un próximo estreno por parte del Teatro de la Escuela Nueva de la *Farsa y licencia de la Reina castiza*, de Valle-Inclán, como veremos en las páginas específicas dedicadas a esta

---

(60) **Ob. cit.**, p. 243.

obra (61). Dicha suspensión decide al grupo a convocar una conferencia de prensa en el Ateneo madrileño como acto de protesta contra la previa censura teatral, en donde se acuerda realizar el estreno previsto en el salón de actos del propio Ateneo y la convocatoria de un mitin contra la censura "que presidieron, también en el Ateneo, el senador Royo Villanueva, Magda Donato, Ramiro de Maeztu, Luis Araquistain, Roberto Castrovido, Fernández Ardavín, Bances Candamo y Francisco Vighi, quien leyó una carta de Unamuno" (62).

El Teatro de la Escuela Nueva fue el primer intento por parte de Rivas Cherif de construir una alternativa escénica al teatro comercial español, un objetivo que presidiría toda su actividad durante la década de los años veinte. Ya en agosto de 1920, como antes comentamos, publicó un lúcido análisis de la crisis teatral española en donde afirmó con contundencia que "en España no hay teatro, con sobra de ellos. Faltan el autor dramático, el cómico y el público" (63). Naturalmente, vinculaba

(61) Magda Donato afirmaba en la entrevista de 1925 antes citada que, en realidad, la suspensión se debió a una estratagema urdida por Rivas Cherif ante el fracaso económico de la representación en el Español, debido a la muy escasa venta de localidades: "Afortunadamente llegó una orden de la Dirección de Seguridad -era director D. Millán Millán- que suspendía la función. ¿Por qué? Muy sencillo: se había recibido un anónimo que denunciaba nuestro teatro como organización bolchevique. Esto nos salvó: hicimos iuf! Yo felicité a Rivas Cherif por su idea oportunísima. Pues ya puede suponerse de dónde salía el anónimo libertador" (R. Marquina, **ob. cit.**; apud J. Aguilera Sastre, **ob. cit.**, p. 121). El propio Aguilera Sastre asegura que Rivas Cherif atestiguó esta versión de la actriz en su artículo "Anales de Tito Liviano, transcritos por Cipriano Rivas-Xerif". **El Redondel**, México, 19- octubre-1958; apud J. Aguilera Sastre, **ob. cit.**, p. 121, nota 36).

(62) "Mitin en el Ateneo. La previa censura teatral". **La Voz**, 24-junio-1921; apud J. Aguilera Sastre, **ob. cit.**, p. 120, nota 33.

(63) Rivas Cherif, "Divagación a la luz de las candilejas", **ob. cit.**, p. 113. Por contra, recordemos su convicción de que la representación por el Teatro de la Escuela Nueva de **Un enemigo del pueblo** "ha revelado hasta qué punto es fácil la regeneración de nuestra escena a base de actores y espectadores no contaminados por el ambiente" (**ob. cit.**, p. 119).

esa crisis teatral con la crisis de la sociedad española y afirmaba, por tanto, que "la decadencia actual del espíritu público, el derrumbamiento de la sociedad española, el desolado ambiente en que se consume la burguesía de la Restauración y la Regencia, adviértense sobre todo en los espectáculos" (64). De nuevo aquí Rivas Cherif reitera sus convicciones renovadoras y exalta la dramaturgia valleinclanesca como bandera de ese combate "sin tregua contra el rebajamiento industrial del teatro" en el que ambos estaban comprometidos, un combate por "orear la escena" española a través de la formación de grupos independientes como el Teatro de la Escuela Nueva: " Hay que orear la escena, organizar espectáculos al aire libre, fundar cooperativas de cómicos y autores en sustitución de las empresas explotadoras del *negocio* teatral, reeducar al cómico y al espectador libertándolos de los hábitos adquiridos en una rutina ayuna de ideal" (65).

Todavía ese año decisivo de 1920 vuelven a coincidir Rivas Cherif y Valle-Inclán en otra iniciativa intelectual: la constitución de la sección de autores y traductores del Sindicato de profesiones liberales. Rivas Cherif traza un esquema básico de la crisis editorial (posible pérdida del mercado americano; carestía del papel; recorte de los derechos de autor por parte de los editores como manera de solucionar sus dificultades económicas; saturación de traducciones, "rusas más que nada últimamente", en perjuicio de "la raquítica producción nacional", etc...), y constata el protagonismo de Valle-Inclán, quien conocía por propia experiencia los rigores de la explotación editorial:

(64) **Ob. cit.**, p. 114.

(65) **Ob. cit.**, p. 119.

En la primera reunión de autores, traductores y dibujantes, don Ramón del Valle-Inclán apuntó con singular energía la tremenda consecuencia del mal que procuramos combatir. Que no se reduce, claro está, a la lucha por un necesario aumento de tarifas en las que rigen para pago de derechos de autores, traductores y dibujantes en las casas editoriales. Sino que afecta de una manera inmediata al porvenir literario de España (66).

Estética, política y profesionalmente, la imagen pública de Valle-Inclán en 1920 era la de un escritor que, desde la Leyenda modernista de su carlismo estético, se manifestaba ahora profundamente comprometido con la Historia, con su contexto político y social. Y no cabe duda de que, por entonces, Rivas Cherif fue quien mejor entendió y acertó a explicar -a través de entrevistas, reseñas críticas y artículos en la prensa coetánea-, esa significación radicalmente renovadora de la dramaturgia valleinclaniana.

5.- Las colaboraciones de Valle-Inclán y Rivas Cherif en las revistas La Pluma y España

Aunque aparentemente, tras el fracaso del Teatro de los Amigos de Valle-Inclán, éste y Rivas Cherif se distanciasen, su vinculación a partir de 1921 sigue siendo, en realidad, fluida y constante. Rivas Cherif que, al lado de Azaña participó en la dirección de *La Pluma* y en la última etapa de *España,* publica en estas revistas primeras ediciones de su dramaturgia. Concretamente, en la revista *La Pluma* vieron la luz

---

(66) Rivas Cherif, "La invasión literaria". **España,** 284, 9-octubre-1920, p. 12. El propio articulista había padecido esa servidumbre mercantilista como traductor y asegura, con la convicción de su propia experiencia, que todo cuanto escribe "os lo dice un impenitente traductor -a su pesar las más veces" (**ob. cit.,** p. 13).

sucesivamente tres obras tan relevantes como la *Farsa y licencia de la Reina castiza*, el esperpento de *Los cuernos de don Friolera* (67) y su comedia bárbara *Cara de plata* (68). Naturalmente, ninguna de ellas alcanzó los honores del estreno en una temporada que para el crítico teatral ofrecía un balance desolador: "ni una comedia nueva de tantas como se han estrenado. Ni un cómico cuyo trabajo, por lo excepcional, perdure en nuestro recuerdo de unos cuantos meses" (69). En dicho balance Rivas Cherif atacaba con extrema dureza al Conservatorio, "un centro, más que inútil, perjudicial" (70), y expresaba su desengaño radical en cuanto a la más mínima "posibilidad de mejora de la enseñanza oficial del arte dramático", por lo que se congratulaba de que la señorita Barrón, primer premio de interpretación de dicho Conservatorio, se hubiera integrado "ya en el cuadro del Teatro de la Escuela Nueva" (71), que él mismo dirigía. Precisamente en un artículo sobre dicho grupo, publicado por el propio Rivas Cherif en la revista *La Pluma*, éste reiteraba su convicción de que "Galdós, y en la actualidad Valle-Inclán y Unamuno, se esfuerzan, por distintos derroteros, con intenciones manifiestamente dispares, en reanudar la representación dramática de la vida española en el teatro". Y ello debido al hecho "de que no supediten su inspiración al criterio agarbanzado de empresarios y cómicos" (72). Porque, en efecto, Valle-Inclán tenía a gala escribir, contra ese "criterio agarbanzado de empresarios y cómicos", una dramaturgia libre, con la libertad desafiante

(67) **La Pluma**, 11, abril de 1921, pp. 193-207; 12, mayo de 1921, pp. 257-278; 13, junio de 1921, pp. 321-344; 14, julio de 1921, pp. 1-22, y 15, agosto de 1921, pp. 65-85.

(68) **La Pluma**, núms. 26, 27, 28, 29, 30 y 31, correspondientes a los meses de julio, agosto, septiembre, octubre, noviembre y diciembre de 1922, pp. 5-26, 81-99, 161-174, 241-260, 328-344 y 401-424, respectivamente.

(69) "Un crítico incipiente" (C. Rivas Cherif), "Teatros. Fin de temporada". **La Pluma**, 15, agosto de 1921, p. 119.

(70) **Ob. cit.**, p. 120.

(71) **Ob. cit.**, p. 121.

(72) Rivas Cherif, "El Teatro de la Escuela Nueva", **ob. cit.**, p. 239.

del autor que no quiere ser estrenado y que, por tanto, no acepta someterse a la miseria dominante, no sólo escénica sino también política. Un ejemplo elocuente de ello nos lo proporciona la *Farsa y licencia de la Reina castiza*, la primera obra dramática que Rivas Cherif y Azaña le publicaron en la revista *La Pluma* y que, por su especial interés, merece un comentario específico.

5.1- Rivas Cherif y la Farsa y licencia de la Reina castiza, de Valle-Inclán

No cabe duda de que Rivas Cherif sintió una pasión muy particular por la *Farsa y licencia de la Reina castiza* desde que, "por especial deferencia de Valle- Inclán hacia mí" (73), la obra vio la luz en la revista *La Pluma* (74). El propio Rivas Cherif se ha referido por extenso a esta *Farsa* en un fragmento de sus memorias inéditas "El teatro en mi tiempo y mi tiempo en el teatro" que, por su interés, conviene transcribir:

La *Farsa y licencia de la Reina Castiza*, en tres jornadas en verso cómico, mejorado de los sainetes de Ramón de la Cruz en el siglo XVIII y no digamos del usado fácilmente por Ricardo de la Vega y José López Silva en algunos modelos de esa comicidad poética a fines del siglo XIX, se publicó, por especial deferencia hacia mí, como ya he dicho, en *La Pluma*. Irene López Heredia, con quien fui a Buenos Aires y Montevideo en 1929 como director literario de su compañía, no se atrevió a representarla por miedo a las represalias de la Dictadura de Primo de Rivera, a nuestro regreso a España. Yo la leí en una sesión especial en el teatro Maipo

(73) Rivas Cherif, "El teatro en mi tiempo y mi tiempo en el teatro. El teatro de Valle-Inclán", **ob. cit.,** p. 66

(74) **La Pluma,** 3, agosto de 1920, pp. 97-112; 4, septiembre de 1920, pp. 145-164 y 5, octubre de 1920, pp. 195-206. Sobre las colaboraciones del autor en la revista puede consultarse el estudio de Jean-Marie y Éliane Lavaud, "Valle-Inclán y "La Pluma". **La Pluma,** segunda época, 2, septiembre-octubre de 1980, pp. 35-45.

de la capital argentina, donde actuábamos, al que asistió divertidísimo el embajador de México Alfonso Reyes, mi amigo de años atrás en Madrid, y en otro palco Ramiro de Maeztu, embajador del dictador español, que pocos días antes nos había invitado a comer en la embajada y que no creyó en el caso, como su ministro consejero, de levantarse ostentosamente de su luneta y marcharse, por no autorizar con su presencia, sin duda, la descarada burla que en la farsa se hace de las veleidades que se le atribuyen a Isabel II, aunque con otro nombre, la abuela de Alfonso XIII, todavía reinante.

Curiosa por demás la referencia que don Ramón me dio del motivo de su inspiración. A cuanto creía saber, un amante circunstancial de tantos como se atribuyen a la veleidad de Isabel II de España, se dejó unas cartas en la mesilla de noche de la alcoba en que, tísico pasado, fue a morir en el balneario de Panticosa; cartas que sirvieron a otro huésped aprovechado para ofrecérselas al Ministro de la Gobernación, Arriola, a cambio del nombramiento a su favor de Presidente de la Audiencia de Santiago de Cuba. Oirle contar a Valle-Inclán, que sólo de referencias lo sabía, la entrevista del Ministro con la soberana, era estarlos viendo:

- " Señora, hay un tunante que tiene la rara habilidad de imitar a la perfección las caligrafías ajenas, y presume desvergonzado de poseer unas cartas íntimas, aunque falsas, de Vuestra Majestad. Lo grave del caso es que pide por ellas, sin tener título ni estudios de abogado, la Presidencia de la Audiencia de Santiago de Cuba.
-"Mañana me presentas el decreto".

Decía Valle-Inclán tener esta noticia de don Benito Pérez Galdós, quien a su vez la tenía del propio Ministro de la Gobernación que intervino en el caso. Dispuesto estaba el autor de los *Episodios Nacionales* a utilizar la pintoresca anécdota en cuestión, cuando quiso ir a París a conocer a Isabel II, "La de los tristes destinos", que desde su destronamiento muchos años atrás residía en la capital de

Francia. Y tan simpática le fué la reina que desistió compasivo de cuanto pudiera menoscabar su retrato histórico y suprimir la escandalosa referencia.

Valle-Inclán no sólo no tenía los mismos motivos sentimentales que Galdós en favor de Isabel II, sino que su notoria proclividad hacia don Carlos y su rama en los comienzos de la vida literaria y su indeclinable prurito absolutista en las justas políticas del tiempo en que vivió, siempre le mantuvo frente a los últimos reyes de la dinastía borbónica en España. *La Reina Castiza* se dio al cabo en el teatro Muñoz Seca de Madrid, ya proclamada la República, por Irene López Heredia, la dirección de cuya compañía había dejado yo por la de Margarita Xirgu. Hizo el precioso decorado Salvador Bartolozzi. Muchos años antes, la habíamos ensayado en el Ateneo, con el propio Valle-Inclán, con Magda Donato en el papel de la Reina. No se llegó a hacer. A mi regreso de Buenos Aires la leí también en el Ateneo de Madrid (75).

Conviene documentar la memoria de Rivas Cherif con datos precisos que reconstruyan la compleja trayectoria de esta *Farsa* a través de sus distintas prohibiciones. Es obvio que a Rivas Cherif la obra le interesó en 1920 tanto por su específica calidad dramática cuanto por su significación política antiborbónica. Por el testimonio autorizado de Manuel Azaña sabemos que quien firmaba en la revista *La Pluma* como "Un crítico incipiente" era el propio Rivas Cherif (76). Pues bien, por él

(75) Rivas Cherif, El teatro en mi tiempo...", **ob. cit.**, pp. 66-68. Ya en agosto de 1920 se refirió Rivas Cherif a "esa graciosísima **Farsa de la Reina Castiza** que ha empezado a publicar **La Pluma**", una obra a su juicio "proporcionada", como **Divinas palabras**, "al marco ideal de un teatro de marionetas" ("Nuevo repertorio teatral", **ob. cit.**, p. 13).

(76) En una carta de Azaña a Rivas Cherif que Enrique de Rivas data como "probablemente" de "fines de junio de 1922", aquél escribe: "No sé si te gustará la disposición que he dado a tus **teatros**; va en la sección de **Crónicas literarias**, a

mismo nos enteramos de que el Teatro de la Escuela Nueva iba a estrenar la *Farsa*, estreno frustrado por las circunstancias a que antes hicimos mención: "Lástima grande que las dilaciones a que ha obligado la arbitrariedad de las autoridades hayan diferido la representación de *La reina castiza* de Valle-Inclán, cuyo estreno significaba ya algo más concreto de lo realizado hasta la fecha por la improvisada agrupación" (77). Cuarenta y tres años después, desde su exilio mexicano, Rivas Cherif será mucho más preciso:

> La tenacidad policíaca de un ridículo director de Seguridad, don Millán Millán de Priego, inició la persecución de la censura contra la *Farsa y licencia de la Reina Castiza* de Valle-Inclán, agravada con creces durante la dictadura del general Primo de Rivera y la consiguiente "dictablanda" del general Berenguer. Luego de ensayarla durante meses con el propio don Ramón, en el Ateneo de Madrid, por el grupo que vino a ser en 1920, en torno mío, y ya con Magda Donato de primera actriz, el "Teatro de la Escuela

continuación de Colín". Enrique de Rivas anota que Azaña "se refiere a las crónicas teatrales de Rivas Cherif firmadas "Un crítico incipiente" (Rivas Cherif, **Retrato, ob. cit.**, p. **530**).

(77) Un crítico incipiente, "Teatros. Fin de temporada". **La Pluma**, 15, agosto de 1921, p. 120. En una carta a Adrià Gual, escrita en un papel con el membrete de la propia revista **La Pluma**, Rivas Cherif se sinceraba con el director catalán, al tiempo que reafirmaba su pasión por la **Farsa**: "No quiero engañarle con falsos entusiasmos. No quiero que, engañado por nuestras buenas intenciones y su inmejorable buena fé, refrendada en veinte años de lucha, le haga a V. creer ilusionado por la distancia que el Teatro de la Escuela Nueva existe. No hay nada de eso. Las representaciones que dimos el año pasado adolecieron de todos los males propios de la improvisación y la inexperiencia. Creo, con todo, que lo menos difícil de hallar es un público y aun públicos. Nosotros abrimos un abono de prueba, que sólo a medias pudimos cumplir. Nos falta la última de las funciones anunciadas, precisamente una farsa de Valle-Inclán, que tengo verdadero empeño en hacer, y que puede V. leer en los números de **La Pluma** que le envío" (Esta carta, fechada el 9 de diciembre de 1921, se conserva, junto al resto del epistolario de Adrià Gual, en la biblioteca del Institut del Teatre de Barcelona).

Nueva", *La reina castiza*, vista la imposibilidad de su representación pública, me fue confiada por su autor ilustre para su publicación en *La Pluma* (78).

Con motivo de la edición en libro de la *Farsa*, Rivas Cherif le dedicó una extensa reseña crítica en la misma revista *La Pluma* que, en rigor, constituye una lúcida interpretación de la trayectoria estética e ideológica de su autor por quien, sin duda, debe ser considerado como su más atento, profundo e inteligente crítico coetáneo. Rivas Cherif y Valle-Inclán mantuvieron, como venimos observando, una larga y fecunda relación de amistad fundada sobre el respeto y la admiración comunes (79) de sus respectivos talentos dramáticos: aquél como crítico y director de escena ante todo, y éste como dramaturgo. Para el crítico la *Farsa* "marca la iniciación, con una obra maestra, de un nuevo propósito literario en el autor", aunque se apresura a añadir que es un "nuevo propósito que no significa rectificación de los anteriores, que no implica traición a los

(78) Cipriano Rivas Xerif (sic), "Calendario del aficionado. En torno a Unas "Divinas palabras" de Valle-Inclán". **El Redondel.** México, 5-mayo-1963. Y poco después se reiterará en su convicción de que "El "Teatro de la Escuela Nueva", en que intervino ya también Magda Donato, murió, más o menos policíacamente, simplemente por nuestra intención de representar "La Reina Castiza" ("Calendario del aficionado. El último "Solo de Bululú". **El Redondel,** México, 6-octubre-1963). Por otra parte, no cabe duda de la intervención de Valle-Inclán en el Teatro de la Escuela Nueva, ya que, según su autorizado testimonio, aquellos ensayos fueron "dirigidos por el propio Don Ramón en los sótanos del Ateneo de Madrid" ("El teatro en mi tiempo. "La Reina Castiza" en Buenos Aires". **El Redondel,** México, 9-mayo-1965).

(79) Rivas Cherif confiesa "mi admiración y mi amistad por don Ramón" en diversos textos, por ejemplo en "El teatro en mi tiempo", **ob. cit.,** p. 54. Por su parte, en una de sus cartas, fechada el 30 de marzo de 1925 en Madrid, Azaña le escribe: "Valle me ha dicho que andas, o mejor, que corres, muy ocupado. Admira tu actividad: ¡¡¡Las cosas que hace!!!", repite a cada momento" (en Rivas Cherif, **Retrato, ob. cit.,** p. 602).

principios sustentados hasta ahora, ni, por lo tanto, a sus adeptos, a su público; pero sí mayor conciencia artística y social, más pasión, más "humanidad" (80). Rivas Cherif sostiene que, tras la primera guerra mundial, se vive un momento de crisis en que "las formas literarias se disuelven". Es el contexto en que todo escritor debe realizar "un examen de conciencia tolstoiano: "¿Qué es el arte? ¿Qué debemos hacer?". Al hilo de la respuesta dada por el dramaturgo en la entrevista de *La Internacional* que antes comentamos (81), Rivas Cherif nos recuerda que "Valle-Inclán no reniega de su esteticismo. El arte es un juego. Pero hay momentos en la vida de los pueblos en que es una inmoralidad jugar por jugar. Éste es uno". Precisamente la *Farsa* y los inmediatos esperpentos constituyen la respuesta artística y política del dramaturgo a esa encrucijada histórica, pues, según el crítico, es ahora cuando Valle-Inclán ha acertado a fundir, "en una pequeña obra maestra, iniciación de la nueva modalidad satírica proseguida triunfalmente en *Luces de bohemia* y *Los cuernos de don Friolera*, el esteticismo, la estilización a que vocó sus primeros ensayos -cumplidos excelentemente en la magnífica *Sonata de otoño*-, y la vaga intención moral de después, que viene a concretarse en esta farsa transcendental". Rivas Cherif, quien valoraba esta farsa como una "obra maestra", una "pequeña obra maestra", afirmaba aún con rotundidad en palabras con las que concluía su valiosa reseña crítica: "No tuviera nunca ya otros méritos *La Pluma* que el haber publicado por vez

(80) Rivas Cherif, "Don Ramón del Valle-Inclán.- Farsa y licencia de la Reina Castiza". **La Pluma,** 25, junio de 1922, p. 371.

(81) Apud D. Dougherty, **ob. cit.,** pp. 98-104 (cfr. nota 36). En esta entrevista se refirió también Rivas Cherif a la **Farsa** como obra en donde "resucita D. Ramón en cierto modo el libelo literario, tan en boga en el Renacimiento italiano. La corte isabelina aparece caricaturizada con goyescos trazos, que prestan a la sátira grotesca una ejemplaridad moral" (apud **ob. cit.,** p. 102).

primera *La Reina Castiza* y nuestra revista tendría, sólo por eso, una significación de vanguardia en el movimiento literario contemporáneo" (82).

En las páginas de la revista *España* se publicó por entonces, tras esa edición en libro de la obra, una información que, bajo el título de "Dedicatoria", ha sido fuente de una legendaria anécdota que la mayoría de biógrafos del escritor han coincidido en recoger:

D. Ramón del Valle-Inclán ha tenido la gentileza de enviar a D. Alfonso XIII un ejemplar de su obra *Farsa y licencia de la reina castiza*, que acaba de publicarse, con la siguiente inusitada dedicatoria:

" A S. M. el Rey D. Alfonso XIII. Señor: Tengo el honor de enviaros este libro, estilización del reinado de vuestra abuela Doña Isabel II, y hago votos porque el vuestro no sugiera la misma estilización a los poetas del porvenir" (83).

Aunque esta anécdota no pueda confirmarse con el debido rigor documental, no cabe duda de que, por su soberbia impertinencia, es una anécdota muy verosímilmente valleinclaniana. El dramaturgo, mediante esta "inusitada dedicatoria", expresa con gráfica virulencia su

---

(82) Rivas Cherif, **ob. cit.**, p. 373. El crítico, tal y como señalaba el propio Valle-Inclán en el "Apostillón" de la **Farsa**, añadía que esta "sátira histórica", "caricatura del reinado de Isabel II", era una "evocación sutil de los modos populares del libelo característico de la época de **Gil Blas, La Gorda** y **La Flaca**", es decir, se vinculaba a la tradición de la prensa satírica española que se desarrolló durante el reinado de Isabel II con el **Gil Blas** (1864) y que tuvo su apogeo, a raíz de "La Gloriosa" y a lo largo del sexenio revolucionario (1868-1874), con la revolucionaria **La Flaca** y su réplica conservadora, **La Gorda.**

(83) "Dedicatoria". **España**, 322, 27-mayo-1922, p. 11.

desprecio por la monarquía borbónica y por una situación política que, tras el golpe de Estado protagonizado por el general Primo de Rivera, anularía por completo las posibilidades de representación de la *Farsa*. El propio Rivas Cherif nos recuerda en el fragmento antes citado que, al regreso de una gira por Uruguay y Argentina en 1929, la actriz Irene López Heredia "no se atrevió a representarla por miedo a las represalias de la dictadura de Primo de Rivera". Por tanto, en 1929 Rivas Cherif se estrenó como bululú en el Teatro Maipo de Buenos Aires con la lectura de esta *Farsa*:

> Mi primera lectura pública de *La Reina Castiza*, a primera vista como si dijéramos, fue en el Teatro Maipo de Buenos Aires, en la temporada de mayo a julio de 1929, siendo director literario de la compañía de Irene López Heredia (84).

Sin embargo, en el contexto histórico del año 1929, la larga agonía de la dictadura y de la propia institución monárquica eran evidentes y aquel ambiente de efervescencia política y de abierta oposición constituía un caldo de cultivo excelente para la agitación político-teatral que una obra como la *Farsa* implicaba. Rivas Cherif, asesor literario en 1930 de la compañía de Margarita Xirgu -responsable por entonces del Teatro Español de Madrid-, discrepaba del criterio pesimista del dramaturgo acerca de las posibilidades reales de estrenar la *Farsa*, según la información publicada por el periódico monárquico *ABC*:

---

(84) "Calendario del aficionado. En torno a Unas "Divinas Palabras" de Valle-Inclán", **ob. cit.** Rivas Cherif realizó "una lectura privada de **La Reina Castiza**, a que asistieron invitados por mí, en dos palcos plateas frente a frente, el propio Ramiro de Maeztu, que rió y aplaudió regocijado mi desplante, y Alfonso Reyes, mi amigo de mucho antes y de siempre, entonces embajador de México en Buenos Aires" ("El teatro en mi tiempo. **La Reina Castiza** en Buenos Aires". **El Redondel,** México, 9-mayo-1965).

Rivas Cherif había pedido a Valle-Inclán, para las representaciones de teatro experimental que proyecta en el propio Español, su famosa *Farsa y licencia de la Reina castiza*. Pero D. Ramón no cree posible, dadas las circunstancias actuales, que pudiera tener lugar, si se llegaba a dar la primera, una segunda representación de su farsa famosa. Rivas Cherif, que en su excursión del invierno pasado con Isabel Barrón, dio aplaudidísimas lecturas de *La reina castiza*, invitado por los estudiantes, en las Universidades de Valladolid y Oviedo, como antaño en la de Paraná en la Argentina y en el teatro Maipo, de Buenos Aires, cree, contra el parecer de D. Ramón, que la representación sería posible, y que, en todo caso, lo será, precisamente, en atención a las circunstancias. A tal intento, es muy fácil que en plazo breve inaugure, en un importante centro literario y artístico, una serie de lecturas cómicas, como la de *La reina castiza* (85).

Ese "importante centro literario y artístico" a que aludía el periodista de *ABC* no era otro que el Ateneo madrileño, núcleo activo de la oposición intelectual y política, junto a las universidades, en la lucha contra la Dictadura. No olvidemos que en este mismo escenario Rivas Cherif había intentado, con el Teatro de la Escuela Nueva, el estreno en 1921 de la *Farsa* y que, en el fragmento antes citado de sus memorias, aludía a que "a mi regreso de Buenos Aires la leí también en el Ateneo de Madrid". Paradójicamente, es de nuevo *ABC* quien nos proporciona la información más rigurosa del acto:

El culto escritor Cipriano Rivas Cherif dio ayer su anunciada lectura de la conocida farsa de Valle-Inclán *La reina castiza* ante una concurrencia numerosa, que llenaba el salón de actos del Ateneo. A modo de introducción, se refirió al *Teatro*

---

(85) "Don Ramón del Valle-Inclán en el teatro". **ABC**, 13- noviembre-1930, p. 10.

político, de Erwin Piscator, director en Berlín de la escena que lleva su nombre. Piscator propugna, contra la teoría del "arte por el arte", el teatro como propaganda política, que es, en su caso, la comunista, a semejanza de los teatros oficiales de los Soviets de Rusia. Rivas Cherif, que no comparte todas las opiniones de Piscator, cree sin embargo que el arte teatral, como cualquier otro, no implica inhibición política. En toda obra verdaderamente humana trascenderá la emoción política del momento en que se produjo, y cuando más honda sea esta emoción, más comunicable será a los públicos de todos los tiempos. Citó anecdotas pintorescas, en relación con suspensiones de teatros no profesionales, y muy particularmente la del "Caracol", y anunció la continuación de la serie de lecturas de "Teatro político" con *El inspector general*, de Gogol; *El soldado fanfarrón*, de Plauto; *Las nubes*, de Aristófanes, y *Los persas,* de Esquilo, y procedió a leer *La Reina castiza*, dando a cada personaje el acento y la dicción adecuados y con un sobresaliente sentido del arte dramático (86).

No es difícil imaginar, a la altura histórica de diciembre de 1930, la expresa complicidad artística -pero, sobre todo, política-, entre el dramaturgo y ese público ateneísta asistente a la lectura de Rivas Cherif. Sin embargo, hasta la proclamación de la II República no iba a ser posible su estreno, precedido por una nueva lectura de la *Farsa*, realizada esta vez por el propio Valle-Inclán a la compañía de Irene López Heredia y

(86) "Informaciones y Noticias de lecturas y conferencias.- Lectura expresiva de "La Reina Castiza", de Valle-Inclán". **ABC**, 3-diciembre-1930, p. 27. En una información del mismo acto publicada en **La Libertad**, se confirma la calurosa acogida del público ateneísta a la **Farsa**, leída, "luciendo sus condiciones de actor", por Rivas Cherif, lectura "interrumpida con frecuencia por los aplausos del auditorio, y al final, con los que correspondían al lector", para acabar con "los muy fervientes que el público dedicó a don Ramón del Valle-Inclán al percibir su presencia en la tribuna alta" ("Ateneo de Madrid. Lecturas políticas". **La Libertad**, 3-diciembre-1930, p. 9). Dru Dougherty y Elena Santos Deufoleu, en un artículo titulado "Valle-Inclán, Farsa y licencia de la Reina castiza y ¡Tararí!: una

Mariano Asquerino y que contó con la presencia de Rivas Cherif, como atestigua la fotografía de Alfonso publicada por el diario *ABC* (87). Esta lectura, realizada a inicios del mes de mayo de 1931, era el obligado prólogo de su inminente estreno, acaecido, con notable éxito de crítica y público, la noche del 3 de junio en el Teatro Muñoz Seca de Madrid (88). Muy rápidamente, con dibujos de Merlo, se publicaba el texto de la obra

charla de 1930" (**Estreno**, XV, 1, primavera de 1989, pp. 29-32), han reeditado una entrevista de Félix Paredes a Valle-Inclán con motivo de esta lectura, que publicó la "revista de espectáculos y deportes" ¡**Tararí!** (7, 4-diciembre-1930). Rivas Cherif asegura que "luego de otra lectura, a libro abierto todavía, en el Ateneo madrileño, en 1930, Valle-Inclán me reiteró su aquiescencia e incluso se avino a leérmela él de nuevo, tal y como nos la había ensayado diez años antes" ("Calendario del aficionado. En torno a Unas "Divinas Palabras" de Valle-Inclán", **ob. cit.**).

(87) El pie de foto era el siguiente: "Una lectura de Valle- Inclán.- En el escenario del teatro Victoria, Don Ramón del Valle-Inclán ha leído a la compañía de Irene López Heredia y Mariano Asquerino su obra de teatro **Farsa y licencia de la Reina Castiza.** El ilustre escritor, rodeado de sus intérpretes, de Rivas Cherif y Salvador Bartolozzi, interrumpe la lectura para posar sin sus gafas de miope ante el fotógrafo" (**ABC**, 7-mayo-1931, p. 10). Según J. A. Hormigón, tras la proclamación de la II República, fue el propio dramaturgo quien telefoneó a Irene López Heredia "para susurrarle guasón: "Ahora ya pueden hacer ustedes "La reina castiza" (**ob. cit.**, p. 576).

(88) Díez-Canedo, en su reseña de **El Sol**, afirma que la obra fue "acogida por el público del estreno no ya con el aplauso que merece y no le fue regateado, sino con esa sensibilidad que en el rumor y en la risa de la sala muestra la compenetración de ésta con el escenario", complicidad escénica que era también política y que contribuyó sin duda al éxito: "Valle-Inclán no acudió al teatro. En el acto segundo, Asquerino leyó una carta en que el insigne escritor explicaba, con altas razones, su ausencia. Los aplausos la convirtieron en presencia, entusiastas y reiterados" (**Artículos de crítica teatral, ob. cit.,** tomo IV, pp. 24-27). Sobre la significación política de la obra en el contexto republicano en que se estrenó, puede consultarse el libro de Dru Dougherty, **Valle-Inclán y la Segunda República.** Valencia, Pre-Textos, 1986, pp. 112-115.

en la popular colección de *La Farsa* (89). Pero ni siquiera tras su estreno se olvidó Rivas Cherif de su pasión por la *Farsa y licencia.* Así, en una conversación con Juan G. Olmedilla sobre los planes futuros del Teatro-Escuela de Arte (TEA) que por entonces dirigía, declaraba su voluntad de poner en escena *"La reina castiza,* de Valle -no en la versión que incorporó en Madrid excelentemente Irene López Heredia, sino en la original, que incluye las acotaciones líricas y se ilustra musicalmente con el "Fandango de candil" de Gustavo Durán" (90). El dato es interesante

(89) **La Farsa**, 202, 25-julio-1931. El 8 de junio Valle- Inclán, en carta dirigida a Federico Oliver, presidente de la Sociedad de Autores Dramáticos, protestaba por dificultades en la percepción de sus derechos de autor (cfr. J. A. Hormigón, **ob. cit.**, p. 577). En una entrevista realizada por Alfredo Marquerie, el dramaturgo, tras comentar las traducciones de **Tirano Banderas** y dos tomos de **El Ruedo Ibérico** a la lengua rusa, declaraba que "El Teatro de Arte de Moscú va a representar **La Reina Castiza** y **Luces de bohemia**" (**Informaciones**, 24-junio-1932; apud D. Dougherty, **Un Valle-Inclán olvidado, ob. cit.**, p. 243). Por su parte, el diario **El Sol** informaba de que, con motivo del estreno soviético de la **Farsa**, "parece ser que en los círculos intelectuales de Moscú existe el deseo de invitar a D. Ramón del Valle-Inclán para que presencie el estreno de su obra y visite la Unión Soviética (**El Sol**, 10-mayo-1932; apud D. Dougherty, **ob. cit.**, p. 243, nota 288), viaje que el escritor no llegó a realizar. Sobre las relaciones entre Valle-Inclán y el Partido Comunista de España puede consultarse mi **Valle-Inclán, antifascista** (Sant Cugat del Vallés, Cop d'Idees-Taller d'Investigacions Valleinclanianes, núm. 1 de la colección Estrafalaria, 1992).

(90) Juan G. Olmedilla, "Al margen de la escena consuetudinaria. Se va a crear un Teatro-Escuela de Arte Experimental. Anverso y reverso del curso dramático 1933-34, en el Teatro Español" . **Heraldo de Madrid**, 21-noviembre-1933, p. 13. Sobre el citado músico puede consultarse el artículo de Pedro Almeida, "Gustavo Durán (1906-1969): preludio inconcluso de la generación musical de la República. Apuntes para una biografía". **Revista de Musicología**, 2, julio-diciembre de 1986, pp. 511-542. **El fandango de candil**, guión de Rivas Cherif y música del citado Gustavo Durán, fue estrenado en el Teatro Fémina de París en julio de 1928 por Antonia Mercé, "La Argentina", y puede leerse en **Cipriano de Rivas Cherif. Retrato de una utopía, ob. cit.**, p. 59.

porque Rivas Cherif, fiel a su propósito de recuperar la versión "original", no renuncia a las acotaciones escénicas como material textual que debe incorporarse a la representación, a esa -de nuevo frustrada en 1933-, puesta en escena de la *Farsa*.

Pero no acaba aquí la pasión de Rivas Cherif por la *Farsa* valleinclaniana y esa larga frustración del director por la puesta en escena de la obra va a poder finalmente superarse, aunque en condiciones políticas y escénicas extremadamente significativas que constituyen todo un símbolo dramático de la derrota republicana. En efecto, por su propio testimonio sabemos que el preso republicano y cuñado de Manuel Azaña resistía los peores momentos de su detención por la policía franquista de una manera tan singular como conmovedora: a modo de bululú, en compañía de su *Farsa*, "recordándola casi de memoria en mis primeras soledades de un calabozo de la Dirección General de Seguridad, bajo la Puerta del Sol, en 1940" (91). En su "Autobiografía", el actor, crítico, autor y director escénico Cipriano de Rivas Cherif evoca una estancia suya en la Universidad de Puerto Rico, en donde, a partir de 1949, permaneció durante dos años y pudo realizar diversos montajes. Pues bien, es entonces cuando Rivas Cherif nos informa de su insólita interpretación, como un moderno bululú, de la *Farsa* valleinclaniana:

> En 1949 fui de profesor visitante de arte teatral por tres meses a la Universidad de Puerto Rico, donde prorrogué mi estancia hasta dos años. Hice con el Teatro Rodante Universitario *La zapatera prodigiosa*, de García Lorca, y *El viejo celoso*, de Cervantes, que yo interpretaba además, por todos los pueblos y la Universidad durante un año.

(91) Rivas Cherif, "Memorias de un apuntador". **El Redondel**, México, 28-enero-1968.

Permanecí por mi cuenta en la isla un año más en que monté *La casa de Bernarda Alba, La Malquerida, Esquina peligrosa, Los árboles mueren de pie* y sobre todo, hice por primera vez en el Teatro del Ateneo de San Juan, el bululú de *La Reina Castiza,* que llamo así porque se llamaba bululú en el siglo XVI en España al cómico que corría las plazas, las ventas y los corrales, representando él sólo romances y comedias. Yo interpreto, sin trajes, decorados, ni maquillaje alguno, los dieciséis personajes de la magnífica farsa de Valle-Inclán (92).

(92) Rivas Cherif, "Memorias de un apuntador". **El Redondel,** México, 28-enero-1968. Desde ese estreno portorriqueño de 1949, Rivas Cherif la representó, entre otras muchas veces, en el Teatro Cervantes de Guatemala (23-marzo-1953); en el guatemalteco Teatro Sullivan, en cuyo programa de mano se especificaba que será "interpretada "a solo de bululú", sin vestuario ni decorados, por C. Rivas Cherif en los dieciséis personajes de la farsa" (1-agosto-1953); en la Sala Molière de la Casa de Francia en México, en la primera parte de una "función extraordinaria fuera de abono en Homenaje de los españoles en México al general Lázaro Cárdenas", organizada por el Teatro Club (5-mayo-1956, únicamente el primer acto); en las Galerías Excelsior de México (22-agosto-1957); en el Ateneo Maurice Maeterlinck de México como parte del repertorio de "Tito Liviano" y su tercera TEA, el Teatro Español de América (23-junio-1961), o en la Sala Manuel M. Ponce del Palacio de Bellas Artes de México, en donde Tito Liviano -"mi "doble" o sombra vana", según el propio Rivas Cherif-, y la TEA -"aula mínima del Teatro Español de América"-, presentaron, entre otras obras breves, el **Monólogo de La corona,** de Azaña; **Los fantoches del Compadre Fidel** y la **Primera jornada de la Reina Castiza,** de Valle-Inclán, tal y como consta en el programa de mano de la representación (27-abril-1962). Como dato anecdótico consignemos que, entre el repertorio del Teatro Club de México, fundado y dirigido por Rivas Cherif, figuraban la **Farsa y licencia de la Reina Castiza,** además de **El labrador de más aire,** de Miguel Hernández, y **La Corona** y **El entremés del sereno,** de Manuel Azaña, obras todas ellas de un "teatro español prohibido en España", según el programa de mano que presentaba la temporada, entre mayo de 1956 y enero de 1957, del Teatro Club en la Sala Molière de la Casa de Francia en México. En aquellos años de su exilio mexicano Rivas Cherif publicó también unos interesantes "Apuntes para un retrato de Valle-Inclán" en la revista **Libros Selectos,** "boletín bibliográfico trimestral" (México, 20, 15-enero-1964, pp. 25-32).

Ese "sobre todo" delata el júbilo personal de Rivas Cherif al haber satisfecho, pese a la extrema penuria escénica del solitario Bululú, su pasión por la *Farsa* valleinclaniana. Un republicano vencido, en el portorriqueño Teatro del Ateneo de San Juan, representa al fin en 1949 aquella farsa que, "por especial deferencia hacia mí", vio la luz en 1920 en las páginas de la revista *La Pluma*: anécdota dramática que simboliza con amarga expresividad la miseria franquista (93), que despreciaba por igual la grandeza dramatúrgica de Valle-Inclán y el talento teatral del -por entonces- más competente director de escena español: Cipriano de Rivas Cherif, muerto en su exilio mexicano (94).

(93) En una carta personal, Enrique de Rivas me informa que, entre los papeles del archivo de su padre aparecidos en 1984 en unas dependencias policiales y tras inventariar de memoria unos cuantos documentos expoliados, "tampoco ha aparecido algo más importante: el manuscrito de la **Farsa y licencia de la Reina castiza** que siempre le oí a mi padre que Valle-Inclán le había regalado" (Carta fechada en Roma, 25 de febrero de 1989), expolio de la memoria histórica, cultural y literaria que constituye todo un símbolo elocuente de esa miseria franquista a que nos referimos. Por otra parte, el propio Rivas Cherif planteaba en 1963 otro aspecto contradictorio de esa misma realidad miserable del franquismo: "En la actualidad se titula de Valle-Inclán un teatro de la antigua Villa y Corte, donde no se pueden representar **"Los cuernos de don Friolera"** ni **"La Reina Castiza"** ("Calendario del aficionado. **La Reina Castiza y los Cuernos de don Friolera**". El **Redondel,** México, 29-septiembre-1963). Sobre la censura de la dramaturgia valleinclaniana puede consultarse mi artículo "El miedo al esperpento feroz (Valle-Inclán, la censura y la sociedad española del siglo XX)". **Ojáncano,** 3, febrero de 1990, pp. 3-20.

(94) "En 1952 reanudé sus lecturas en Puerto Rico, a libro cerrado, a manera del antiguo bululú clásico, marcando todos los papeles, que es lo menos que se le puede pedir a un director que de tal presuma. Desde entonces la he representado "a solo" más de cien veces en público y en privado. La primera en México, hace ocho años, en la Sala Ponce, por celebrar con mis amigos el cincuentenario de mi vocación escénica" ("Calendario del aficionado. Última palabra sobre mi grande amigo y maestro don Ramón del Valle-Inclán". **El Redondel,** México, 11-febrero-1962).

5.2- El viaje de Valle-Inclán a México en 1921 y el número monográfico dedicado por la revista La Pluma al escritor

Por su correspondencia con Azaña sabemos que Rivas Cherif, enfermo, pasa el verano de 1921 en la casa solariega de su familia, en el pueblo vallisoletano de Villalba de los Alcores, ocupado en diversas traducciones (95) y colaboraciones para la revista *La Pluma* (96), pero atento siempre al ambiente teatral (97). Valle-Inclán, por su parte, prepara aquel verano su segundo viaje a México, invitado oficialmente por el general Obregón, un viaje al que se alude en una nota anónima publicada en *La Pluma* y escrita probablemente por Rivas Cherif. Allí se denuncia el "gran silencio en la prensa de Madrid acerca del caso", roto tan sólo por los ataques del patrioterismo reaccionario contra el escritor: "Del viaje de Valle-Inclán, lo primero que nos cuentan es la protesta de la colonia española en Méjico, lastimada en su patriotismo por algunos pareceres de don Ramón; y un papel madrileño le reprende por su falta de respeto a "ciertas instituciones que son la encarnación más alta de la patria" (98). Para *La Pluma*, por contra, "nadie puede hablar por España con más derecho que los intelectuales puros. Valle-Inclán y los demás españoles de su categoría, son los verdaderos príncipes de España" (99).

(95) Rivas Cherif, **Retrato, ob. cit.**, p. 527.

(96) **Ob. cit.**, p. 521.

(97) "Lo que me dices de Canedo y mi teatro, me hace pensar que quieren dorarme una pildorita... Ya veremos lo que se les ocurre" (**ob. cit.**, p. 527).

(98) "Objeciones. Valle-Inclán en Méjico, y el patriotismo pasado por agua". **La Pluma, 19,** diciembre de 1921, p. 357. Sobre el tema puede consultarse el artículo de Dru Dougherty, "El segundo viaje a México de Valle-Inclán: una embajada intelectual olvidada". **Cuadernos Americanos**, 2, 1979, pp. 137-176.

(99) **Ob. cit.**, p. 358. Varias declaraciones y entrevistas con el escritor a propósito de este viaje a La Habana y México pueden leerse en el libro documental de Dougherty, **ob. cit.**, pp. 104-145. El dramaturgo dio también entonces una conferencia sobre tema mexicano en el Instituto de las Españas de Nueva York (Rafael Osuna, "Una conferencia de

El regreso de Valle-Inclán a Madrid a principios de 1922 fue saludado con júbilo igualmente por la revista *España*, quien analizó la significación de su incidente con la colonia española en México y denunció los intereses económicos subyacentes en la polémica (100). El 18 de febrero el escritor pronunció una conferencia en el Ateneo madrileño sobre "La obligación cristiana de España en América" (101). Unos cuantos amigos y admiradores de Valle-Inclán, entre los cuales figuran, cómo no, Rivas Cherif y Azaña, convocaron un homenaje al escritor, al que consideraban "uno de los valores más sólidos y duraderos de la literatura española contemporánea", homenaje que se celebró el 1 de abril de aquel año 1922 en Fornos. En el texto de la convocatoria se resaltan los treinta años de práctica literaria de Valle-Inclán y la falta de reconocimiento público de su talento creador. Específicamente, se dice que el dramaturgo padece, por su "cáustica y señera independencia", una injusta condena a la marginalidad escénica, ya que "los grandes coliseos, celosos del abono y de las instituciones, le dicen gitanescamente: ¡lagarto! ¡lagarto!" (102). Por lo tanto, los convocantes deciden ofrecerle "un modesto convivio espiritual, sin ministros discurseadores, ni presidentes de Academias, ni fantasmones

Valle-Inclán en Nueva York (1921)". **Cuadernos de Estudios Gallegos**, núms. 93-94-95, 1978-1980, pp. 377-380).

(100) Según el semanario **España**, el viaje de Valle-Inclán frustró el proyecto de enviar al director de **ABC**, a un ministro y a un ex-ministro romanonista con objeto de que "hicieran presión amistosa sobre el gobierno mejicano para que abonase a la colonia española cien millones de pesos que piden como indemnización por daños sufridos en las últimas revoluciones, cuando, al parecer, no excede el importe de seis millones" ("Regreso de Valle- Inclán". **España**, 306, 4-febrero-1922, p. 6).

(101) En dicha conferencia se refirió Valle-Inclán a esa presunta indemnización al censurar que "no tenemos la nobleza de Japón, que ha perdonado lo que México le debía" (**El Imparcial**, 19- febrero-1922). También **La Voz** del 20 de febrero se hizo eco de esa petición " a cambio de que España dé por bueno al Gobierno de Obregón" (apud D. Dougherty, **ob. cit.**, p. 129, nota 158).

(102) "Una cena a Valle-Inclán". **España**, 314, 1-abril-1922, p. 6.

oficiales de ninguna especie" (103), talante sin duda muy del agrado del homenajeado. Como muy bien explicaba la propia revista *España*, en el banquete a Valle-Inclán "se festejaba, no un éxito, sino un ejemplo" (104).

En la correspondencia cruzada durante el verano de 1922 entre Azaña y Rivas Cherif, por entonces empleado en el Registro de Zamora, abundan las noticias sobre Valle-Inclán. Por ejemplo, en una carta fechada en Madrid el 20 de junio, Azaña le informa de un pleito planteado por el escritor contra la Sociedad de Librería, tema que asegura obsesiona a Valle-Inclán en un momento de probable penuria ecónomica (105). A finales de mes le notifica el propio Azaña que la publicación de su novela *El jardín de los frailes* se aplaza "porque Valle "durará" hasta fin de año" (106), esto es, porque *Cara de plata*, tercera obra publicada por el dramaturgo en *La Pluma*, concluirá con la entrega correspondiente al mes de diciembre (107). Aquellos meses de junio y

---

(103) **Ob. cit.**

(104) "Vida literaria. Valle-Inclán". **España,** 315, 8-abril- 1922, p. 13. En una reseña del acto se habla de más de doscientos asistentès, presididos por Unamuno, Barcia y Albornoz. A los postres tomaron la palabra Unamuno y el propio Valle-Inclán (**El Imparcial,** 2-abril-1922, p. 3). En este discurso el escritor, en afirmación provocadora, aseguró que la función del intelectual en España era la de "actuar siempre fuera de las leyes y tener el gusto de ser perseguido por la Guardia Civil" (apud D. Dougherty, **ob. cit.,** p. 146).

(105) Rivas Cherif, **Retrato, ob. cit.,** p. 529. En una carta de inicios de julio, Azaña le escribe: "Valle sigue dándole vueltas al disco de la Sociedad de Librería; tan pronto es lo mejor del mundo y tiene cien millones como van a suspender pagos. Voy a ver si consigo que nos entregue el original de su novela" (**ob. cit.,** p. 532). Rivas Cherif, por su parte, le contesta en carta del 28 de julio que "es un fastidio verdaderamente grande lo de la Sociedad. Pobre Valle y **pobes** (sic) nosotros" (**ob. cit.,** p. 540).

(106) Rivas Cherif, **Retrato, ob. cit.,** p. 530.

(107) **La Pluma,** 26, julio de 1922, pp. 5-26; 27, agosto, pp. 81- 99; 28, septiembre, pp. 161-174; 29, octubre, pp. 241-260; 30, noviembre, pp. 328-344, y 31, diciembre, pp. 401-424.

julio de 1922 Valle vive en Madrid, asiste a la tertulia del Regina y protagoniza, cómo no, algún incidente público (108). Poco antes del verano, Rivas Cherif y Valle-Inclán habían vuelto a coincidir, aquél como uno de los tres secretarios y éste como vicepresidente, en otra nueva iniciativa profesional: la creación de la "Asociación española de escritores", presidida por el crítico literario Eduardo Gómez de Baquero, "Andrenio", una organización que "quiere poner al obrero de la pluma en condiciones, cuando menos, de igualdad con el de las demás profesiones: defender sus derechos y solidarizarlos en una aspiración común; ser el instrumento de su capacitación legal y de su fuerza social, del que han carecido siempre los escritores" (109).

(108) "Valle anda malo. Echevarría le dio unas drogas para que se durmiera por las noches y pudieran ir al estudio a dejarse pintar. Valle se tomó la droga a puñadas, como corresponde a su temple heroico, y ayer estaba como para tirarlo a la espuerta. Dijo ("inicial ininteligible") que había estado cataléptico. En el hotel ha armado el otro día una bronca fenomenal, saliendo a insultar a un grupo de diputados que discutían en una sala inmediata. ¡Creo que fue algo... barroco!" (Rivas Cherif, **Retrato, ob. cit.**, p. 538).

(109) "La Asociación de Escritores". **España**, 327, 1-julio-1922, p. 15. Valle-Inclán publicó quince días después en esta misma revista un esperpento muy breve titulado ¿**Para cuándo son las reclamaciones diplomáticas?** (**España**, 329, 15-julio-1922, p. 610), obra sobre la que presentaré una comunicación en el **I Congreso Internacional sobre Valle-Inclán y su obra** que el Taller d'Investigacions Valleinclanianes ha convocado entre el 16 y el 20 de noviembre de 1992 en la Universitat Autònoma de Barcelona. Por entonces Valle-Inclán era víctima de un contrato "absurdo y usurario" con la editorial Renacimiento quien, aun teniendo la exclusiva de sus obras, "no las publica, y como yo les debo dinero, acabarán por quedarse con todo mi trabajo de treinta años. La voluntad de "Renacimiento" de no publicar mis obras y estrecharme por hambre, es manifiesta" (Carta a Alfonso Reyes, fechada en Puebla del Caramiñal el 16 de noviembre de 1923; apud J.A. Hormigón, **ob. cit.**, p. 561).

Rivas Cherif, incansable en sus proyectos de renovación escénica, había intentado sin éxito a fines de 1921 una tercera etapa del Teatro de la Escuela Nueva que iba a contar con el madrileño Teatro del Centro como espacio de representación y con el catalán Adrià Gual, el creador del "Teatre Íntim", como director de una puesta en escena íntegra de *La Celestina* (110). Todavía en junio de 1923, Rivas Cherif repite, desde las páginas de *España*, esa voluntad de regresar a la acción teatral y de nuevo nombra a Adrià Gual como director del frustrado proyecto (111). En este contexto de nuevas iniciativas para la acción teatral es cuando, a finales del año 1922 -el año en que se concede a Benavente el Premio Nobel- (112), vuelve Rivas Cherif a solicitar la colaboración de Valle-Inclán. Éste le responde en una carta, fechada en La Puebla del Caramiñal el 12 de diciembre de 1922, que, a mi modo de ver, constituye, por la claridad y rigor con que Valle-Inclán expone sus convicciones teatrales, un documento fundamental para entender el "concepto escénico" de la dramaturgia valleinclaniana y que, por lo tanto y pese a su extensión, creo conveniente transcribir:

(110) José Castellón, "Vida teatral. En la Escuela Nueva". **Vida Nueva**, 9-diciembre-1921; apud J. Aguilera Sastre, **ob. cit.**, p. 124, nota 37.

(111) Rivas Cherif, "La semana teatral". **España**, 374, 19-junio- 1923, p. 11.

(112) Rivas Cherif, "La obra de Benavente al fulgor del Premio Nobel". **La Pluma**, 31, diciembre de 1922, pp. 433-441, en donde lamenta que Galdós no fuese en 1916 el candidato de la Real Academia por la oposición de Antonio Maura, por entonces su presidente (**ob. cit.**, p. 434), al tiempo que juzga "felicísima y oportuna la última decisión de los repartidores del Premio" (**ob. cit.**, p. 435).

Querido Cipri:

Tiempo hace que estoy para escribirle, y responderle al tema del teatro que me propone en una de sus cartas. Bueno es todo cuanto se haga por adecentar el concepto literario del teatro, y estimo así la voluntad de ustedes: "Comedias arquetípicas o simplemente discretas, sea cualquiera su estructura y concepto escénico". Mis deseos acerca de un teatro futuro son cosa algo diversa. Dentro de mi concepto caben comedias malas y buenas -casi es lo mismo- lo inflexible es el concepto escénico. Advenir las tres unidades de los preceptistas, en furia dinámica; sucesión de lugares para sugerir una superior unidad de ambiente y volumen en el tiempo; y tono lírico del momento total, sobre el tono del héroe. Todo esto acentuado por la representación, cuyas posibilidades emotivas de forma, luz y color -unidas a la prosodia- deben estar en la mente del buen autor de comedias. Hay que luchar con el cine: Esa lucha es el teatro moderno. Tanto transformación en la mecánica de candilejas como en la técnica literaria. Yo soy siempre un joven revolucionario, y poniéndome a decir la verdad, quisiera que toda reforma en el teatro comenzara por el fusilamiento de los Quintero. Seriamente, creo que la vergüenza del teatro es una consecuencia del desastre total de un pueblo, históricamente. El teatro no es un arte individual, todavía guarda algo de la efusión religiosa que levantó las catedrales. Es una consecuencia de la liturgia y arquitectura de la edad media. Sin un gran pueblo, imbuido de comunes ideales, no puede haber teatro. Podrá haber líricos, filósofos, críticos, novelistas y pintores. Pero no dramaturgos ni arquitectos. Son artes colectivas. Primero los faraones y las pirámides después. Primero el honor caballeresco, después don Pedro Calderón. El sentimiento de los espectadores crea la comedia y aborta el autor dramático. ¿Quiénes son espectadores en las comedias? Padres honrados y tenderos, niñas idiotas, viejas con postizos, algún pollo majadero y un forastero. Los mismos que juegan a la lotería en las tertulias de la clase media. Por eso los autores de comedias -desde Moratín hasta Benavente-, parecen nacidos bajo una mesa-camilla. Son fetos abortados en una tertulia casera. En sus comedias están todas las lágrimas de la baja y burguesa sensibilidad madrileña. Son los hijos de una sensibilidad y de un ingenio, que se estremece como ante un enigma alejandrino, cuando el bizarro capitán que agita la bolsa de la lotería, canta guiñando un ojo: "Los dos patitos". En fin, cuente conmigo, si algo puedo hacer, en pro de ese intento (113).

En justa correspondencia a la generosidad de Valle-Inclán con *La Pluma* (114), la revista le dedicó un número monográfico, el 32, correspondiente a enero de 1923. Una nota editorial anónima precisaba que el objetivo de ese número monográfico de

(113) José Caamaño Bournacell la publicó como documento de su archivo particular en "Valle-Inclán y el concepto del teatro (una carta inédita del gran dramaturgo gallego)", recogido en **Mélanges à la mémoire d'A. Joncha-Ruau,** Provence U.P., 1978, pp. 501-515. Leda Schiavo la editó a partir del original conservado en la Biblioteca Nacional de Madrid ("Cartas inéditas de Valle-Inclán". **Insula,** 398, enero de 1980, p. 1 y 10) y Hormigón, por su parte, la reproduce en **ob. cit.,** pp. 548-549. En otra de las cartas publicadas por Schiavo, dirigida a Azaña y fechada el día anterior, carta que acompaña a la última entrega de **Cara de plata,** Valle-Inclán confirma su voluntad de continuar colaborando con la revista: "Un nuevo año se abre para las iniciativas de **La Pluma.** Creo que pronto les podré ofrecer otra cosa", plural que se justifica en alusión a Rivas Cherif. En efecto, Valle- Inclán acaba esta carta a Azaña asegurando que "Al Cipri pienso escribirle mañana", promesa que esta vez cumplió puntualmente.

(114) "La cosa fue que, faltos del capital inicial necesario para pagar la colaboración que nos prometíamos, la obtuvimos graciosamente de los altos nombres de Valle-Inclán, Unamuno, Juan Ramón Jiménez, amén de quienes como Enrique Díez Canedo y nuestro amigo mexicano Alfonso Reyes, avecindado por aquellos años en Madrid, y los más jóvenes en trance de consagración, considerábamos en cierto modo copartícipes en nuestro intento" (Rivas Cherif, **Retrato, ob. cit.,** p. 97). Más adelante, Rivas Cherif nos confirma que el número monográfico a Valle-Inclán se proyectó "en correspondencia al favor inapreciable con que había ilustrado sus páginas" (**ob. cit.,** p. 125).

homenaje, "corona jubilar o ágape de despedida", era el de "situarle en la perspectiva de la literatura militante de nuestro tiempo, ver su obra por reflejo en otras mentes, establecer un repertorio de observaciones y de noticias en torno de su persona y de sus escritos. Y como nos ofrece un ejemplo notable, honrar la vocación literaria pura y la altivez en el gobierno de su vida..." (115).

En este número monográfico Rivas Cherif publica un artículo titulado "Más cosas sobre don Ramón", en donde evoca su conocimiento de Valle-Inclán, sus admiraciones literarias extranjeras (Tolstoi, D'Annunzio, Bernard Shaw), y precisa que "de la literatura española le atrae el "movimiento" dramático del teatro clásico más que los moldes poéticos del diálogo tradicional. Pero sus preferencias van a los cronistas y más que en los antiguos se complace en los de Indias. De sus contemporáneos admira sin reservas, con apasionado fervor, a Rubén Darío, de quien recita de memoria la obra entera con emoción y gracia rítmica inefables" (116). Según el testimonio de Rivas Cherif, Valle-Inclán elogia a Galdós, detesta a Echegaray (117) y critica a Benavente -quien "ha podido hacer algo... pero no quiere"- por su servidumbre "a la Pino, a Lara, al abono de la Guerrero...". Muy particularmente, Rivas Cherif exalta la voluntad renovadora de la dramaturgia de Valle-Inclán, para quien "toda tentativa juvenil le interesa y esperanza", voluntad renovadora que se concreta estéticamente en la afirmación del esperpento y en la plasticidad de su escritura escénica:

(115) **La Pluma,** 32, enero de 1923, p. 6.

(116) Rivas Cherif, "Más cosas de Don Ramón". **La Pluma,** 32, enero de 1923, p. 93.

(117) "Uno de los capítulos más interesantes de la biografía de Valle-Inclán es su afición al teatro y sus andanzas por los escenarios. Paladín de la protesta contra Echegaray con ocasión del homenaje nacional en celebración del Premio Nobel, siempre que viene a pelo tiene en la memoria algún trozo ridículo de **La peste de Otranto,** de **La esposa del vengador** o de **El gran galeoto** con que corroborar su mala opinión de don José, como entonces se le llama en los saloncillos" (**ob. cit.,** p. 94).

- Habría que hacer algo... Es preciso cambiar los conceptos, habría que hacer algo en un modo popular y con un sentido eterno de la actualidad.

La forma teatral de sus últimas obras, culminante en el género de "esperpentos" -como le place titular a *La reina castiza*, *Luces de bohemia*, *Los cuernos de don Friolera*, inéditas en volumen las dos últimas, y que el curioso ha de buscar aún en las colecciones del semanario *España* y de *La Pluma*- responde a la necesidad de renovación que le acucia a producirse sin contaminación con los medios de demanda y oferta que acostumbran editores, empresarios y proveedores de baja estofa literaria.

- El teatro es lo que está peor en España. Ya se podían hacer cosas, ya. Pero hay que empezar por fusilar a los Quintero. Hay que hacer un teatro de muñecos. Yo escribo ahora siempre pensando en la posibilidad de una representación en que la emoción se dé por la visión plástica. El tono no lo da nunca la palabra, lo da el color (118).

Valle-Inclán, al recibir este número de homenaje, escribió desde su retiro gallego una carta a Azaña, director de *La Pluma*, en donde mencionaba de nuevo a Rivas Cherif, al que antes ya vimos que trataba epistolarmente de "Cipri", hecho que delata la confianza y aprecio que le

---

(118) **Ob. cit.**, p. 95. Rivas Cherif nos recuerda que, ya entonces, "conocidos y celebrados son sus desplantes con cómicos y empresarios", desplantes que, tras su ruptura definitiva con María Guerrero -actriz a la que admira, pero "cuyas facultades considera malogradas por el pésimo gusto en que se ha educado y vivido" (**ob. cit.**, p. 94)-, lo condenan a una marginalidad de la que Valle-Inclán se siente orgulloso y de la que hace alarde dramatúrgico al asegurar que, liberado de la preocupación de estrenar, escribe así con absoluta libertad.

inspiraba. Esta carta, fechada en Puebla del Caramiñal el 21 de febrero de 1923, ha sido editada por Dru Dougherty y en ella Valle-Inclán expresa la gratitud y el afecto con que se siente vinculado al espíritu de la revista *La Pluma*, al tiempo que sella definitivamente su amistad con ambos:

Sr. D. Manuel Azaña

Querido Azaña: Me llegó el número de *La Pluma* -mi número- en un momento lleno de zozobra y cuidados, con todos los hijos enfermos del sarampión, y la mujer de la gripe. He pasado días y noches lleno de pensamientos sombríos. Ya están todos convalecientes y fuera de riesgos, Deo Gratias.

Este número de *La Pluma* que, muy señaladamente la amistad de usted y de Cipri me ofrece, me ha consolado y entristecido. Los muertos deben sentir una emoción semejante al oir los responsos que aquí, en este mundo, les cantan. Pero antes de los responsos es el tránsito. Hay que morir para oir esas voces. Yo sentía algo de necrológico leyendo este número de *La Pluma*. Sólo usted se encara con un hombre vivo y descubre su dolor y su drama. Pero los más cuentan historias de un tiempo tan lejano que, de verdad, me parece un muerto aquel de quien hablan: Un muerto y un ajeno. ¡Dios le haya perdonado!

Junto con este matiz sentimental, era otro de reconocimiento al cariño con que ustedes me pagan el que yo les tengo. A usted y a Cipri: -Gracias.

Otro día volveré a escribirle, y seguiremos hablando de *La Pluma*. Quisiera enviarles algo.

Un abrazo

Valle-Inclán (119).

---

(119) D. Dougherty, "Dos cartas inéditas de Valle-Inclán a Azaña". **Insula**, 419, octubre de 1981, p. 12; reproducida por J. A. Hormigón en **ob. cit.**, pp. 554-555.

Pero esa colaboración en la revista iba a resultar imposible porque, como relata el propio Rivas Cherif, "en junio de 1923, al cumplirse los tres años justos de su publicación, suspendimos *La Pluma*" (120). Él mismo y Azaña, a instancias de Amós Salvador, pasaron a encargarse del semanario *España*, "en trance de desaparecer, si no se acudía en socorro de su administración deficitaria" (121). Pero el golpe de estado del general Primo de Rivera iba a limitar, a partir del 13 de septiembre de 1923, la libertad de expresión de la oposición intelectual y, por tanto, del semanario *España*. Allí, en octubre de 1923, se publicó un artículo sin firma, titulado "México, los Estados Unidos y España" (122), que originó una réplica de Valle-Inclán (123). En nueva carta a Azaña, fechada en Puebla del Caramiñal el 16 de noviembre, Valle-Inclán afirma que "quería escribirle y enviarle alguna cosa para *España*", pero que le ha resultado imposible porque "desde hace un mes estoy en cama con un varetazo del riñón, orinando colorado". A continuación, y tras agradecerle "la publicación de la carta sobre el tema mexicano" a que antes aludimos y confesarse políticamente "muy desorientado", Valle-Inclán expresaba con claridad su menosprecio por el Directorio militar y por el propio rey:

(120) Rivas Cherif, **Retrato, ob. cit.**, p. 124.

(121) **Ob. cit.**

(122) **España**, 390, 6-octubre-1923, pp. 565-566.

(123) "Una carta de Valle-Inclán: Méjico, los Estados Unidos y España". **España**, 392, 29-octubre-1923, p. 593; recopilada por Dougherty (**ob. cit.**, pp. 146-147, nota 176) y por J. A. Hormigón (**ob. cit.**, pp. 566-567).

A mí esta gente del Directorio me parecen sargentos avinados y varateros (sic). La contestación a los presidentes de las Cámaras, es una flor del más puro rufianismo (...) Indudablemente los presidentes de las Cámaras no esperaban que el Chulo de Palacio tomase en cuenta su escrito, y acaso sólo buscaban acentuar el perjuicio con vistas al extranjero, donde no ha de mirarse con buenos ojos un poder irresponsable (124).

En el contexto hostil de la dictadura primorriverista y contra la censura y la miseria escénica española, la dramaturgia y la obra narrativa de Valle-Inclán iban a desarrollarse como una manera estética de protesta. Por su parte, Rivas Cherif se decidió definitivamente por una acción teatral renovadora de la escena española a través de diferentes grupos independientes, como vamos a tener oportunidad de comentar. En ese compromiso renovador la dramaturgia de Valle-Inclán iba a seguir constituyendo para Rivas Cherif el símbolo de la vanguardia escénica española.

5.3- Cara de plata y la crisis del semanario España

La publicación por la editorial Renacimiento de las tres *Comedias bárbaras* en su orden riguroso, es decir, encabezadas por *Cara de plata,* cuya primera edición había visto la luz en la revista *La Pluma* durante 1923, ocupó de nuevo la atención crítica de Rivas Cherif, esta vez en uno de los últimos números del semanario *España*. Para el crítico "la

(124) Apud D. Dougherty, "Dos cartas inéditas de Valle-Inclán a Azaña", **ob. cit.**, p. 12; reproducida por J. A. Hormigón en **ob. cit.**, pp. 556-557. Por entonces Valle-Inclán estaba trabajando en su novela **Tirano Banderas,** para la que pide datos y ayuda a Alfonso Reyes en carta del 14 de noviembre de 1923 (apud J. A. Hormigón, **ob. cit.**, pp. 559-560).

comedia bárbara está, diríamos, más que escrita, pintada al fresco", y lo importante para él, por tanto, es que "todo ello está en función visual" (125), tanto "cierta manera exterior imitada del movimiento característico shakesperiano" cuanto el tono musical wagneriano con que dialogan sus personajes, en donde se traslucen ecos del romancero o de la sensibilidad decadente. Rivas Cherif exalta de nuevo esa plasticidad de la dramaturgia valleinclaniana e incluye en su artículo un fragmento de una carta de Valle-Inclán en donde el escritor, tras informarle de que trabaja actualmente "en una novela americana de caudillaje y avaricia gachupinesca" -sin duda *Tirano Banderas*-, afirma en relación con el mundo de las *Comedias bárbaras:*

> He asistido al cambio de una sociedad de castas (los hidalgos que conocí de rapaz), y lo que yo vi no lo verá nadie. Soy el historiador de un mundo que acabó conmigo. Ya nadie volverá a ver vinculeros y mayorazgos. Y en este mundo que yo presento de clérigos, mendigos, escribanos, putas y alcahuetas, lo mejor -con todos sus vicios- eran los hidalgos, lo desaparecido (126).

Pero en 1924, cuando Valle-Inclán expresa esta nostalgia por un mundo perdido, es ya el historiador comprometido del mundo contemporáneo, de las luchas de clases y de las revoluciones populares, como esa revolución mexicana en la que al parecer se inspiraba para ir escribiendo su novela esperpéntica de *Tirano Banderas*, denuncia de cualquier clase de dictadura como, por ejemplo, la española de Primo de Rivera. Ese artículo de Rivas Cherif sobre *Cara de plata* provocó otra carta de Valle-Inclán a su crítico coetáneo más fiel e inteligente. Y éste, de

---

(125) Rivas Cherif, "La Comedia Bárbara de Valle-Inclán". **España,** 409, 16-febrero-1924, p. 850.

(126) **Ob. cit.**

nuevo, aprovecha un fragmento en el que, para nuestra desgracia, omite "algunas preguntas y ofrecimientos relacionados con un suceso de orden político" (127) que le formula el escritor. Valle-Inclán, tras añadir la influencia del Durero en *Cara de plata*, afirma que en ella ha querido "renovar lo que tiene de galaico la leyenda de Don Juan, que yo divido en tres tiempos: impiedad, matonería y mujeres (...) El impío es el gallego, el originario, como explicaba nuestro caro Said-Armesto (...) Aquí la impiedad es la impiedad gallega, no niega ningún dogma, no descree de Dios: es irreverente con los muertos" (128). Pero aún mayor interés tiene el problema de "la angostura del tiempo", ya que Valle-Inclán, a semejanza de la angostura del espacio que logra El Greco en su pintura, confiesa haberla querido conseguir también en sus *Comedias bárbaras*:

> Las escenas que parecen arbitrariamente colocadas son las consecuentes en la cronología de los hechos. *Cara de plata* comienza con el alba y acaba a la media noche. Las otras partes se suceden también sin intervalo. Ahora, en algo que estoy escribiendo esta idea de llenar el tiempo como llenaba el Greco el espacio, totalmente, me preocupa. Algún ruso sabía de esto (129).

Estas nuevas cartas de Valle-Inclán a Rivas Cherif constituyen otro testimonio más de hasta qué punto el dramaturgo respetaba intelectualmente a su crítico, una especie de confidente literario al que, con esa naturalidad y confianza que son atributos de la amistad sincera, iba declarando sus preocupaciones estéticas. En marzo de ese año 1924 Valle- Inclán publicó en *La novela semanal* dos obras, *La rosa de papel* y *La cabeza del Bautista*, subtituladas ambas "novelas macabras" (130). Pues

(127) Ramón del Valle-Inclán, "Autocrítica". **España,** 412, 8-marzo-1924, p. 896.

(128) **Ob. cit.**

(129) **Ob. cit..**

(130) **La Novela Semanal,** 141, 22-marzo-1924. En este mismo año se publicó la segunda edición, ampliada, de **Luces de bohemia.**

bien, Rivas Cherif se apresura a calificar a *La cabeza del Bautista,* "un drama breve, en el que están rigurosamente observadas las reglas y unidades más estrictas", como "un drama perfecto":

> Representa, además, en la labor de Valle-Inclán, un intento, espléndidamente logrado, de depuración de los propios materiales inventados en cinco lustros de producción fecundísima y renovada siempre dentro de un estilo inequívoco. En todo caso, ¿ese acto breve ha de considerarse cual compendio y resumen quintaesenciado de todo lo anterior, o más bien como punto de partida y enlace del espíritu animador de los "esperpentos", con una forma sintética de acabada arquitectura teatral y por ende asequible incluso al público menos leído?
>
> He ahí la experiencia que, a nuestro entender con seguro provecho, debiera intentar algún empresario curioso, si es que queda raza de ellos (131).

Esa experiencia acabó por tenerla el propio Rivas Cherif, quien iba a aprovechar la fortuna de dirigir a la compañía de la actriz italiana Mimí Aguglia para poner en escena ese "drama perfecto" de *La cabeza del Bautista,* cuya lectura tanto le había cautivado, según escribía en su crónica teatral correspondiente al último número del semanario *España.*

---

(131) C. Rivas Cherif, "Teatros. Unamuno y Valle-Inclán". **España**, 415, 29-marzo-1924, p. 12. Por entonces, según Hormigón, Valle-Inclán "hace circular una carta contra el destierro a Fuerteventura de Unamuno" (**ob. cit.,** p. 60), confinamiento al que alude Rivas Cherif en su artículo.

6.- La dramaturgia de Valle-Inclán y la acción teatral renovadora de Rivas Cherif durante la Dictadura de Primo de Rivera

La correspondencia del verano de 1924 entre Rivas Cherif y Azaña nos permite conocer nuevos datos sobre Valle-Inclán. Éste, restablecido de su enfermedad, se instala a partir de julio en Madrid. También en ese mes de julio Rivas Cherif es nombrado Secretario de la Sección de Relaciones Culturales del Ministerio de Estado (132), al tiempo que colabora en el *Heraldo de Madrid* (133). El 30 de julio, en carta a Azaña -a la sazón miembro del Tribunal de Oposiciones a notarías en La Coruña-, alude al contrato de Enrique López Alarcón con el madrileño Teatro del Centro para la próxima temporada (134) y le añade: "He hecho

(132) Como él mismo comenta en carta a Azaña fechada el 23 de julio, era una plaza ocupada hasta entonces por Enrique Díez Canedo y de la que Rivas Cherif, tras la privación a Unamuno de su cátedra salmantina, dimitió "por estimar, y así lo declaré por escrito sin ambages, que tal violencia contra el catedrático ilustre y escritor ilustrísimo habría de acarrear la ruptura de relaciones culturales con el mundo civilizado" (**Retrato, ob. cit.**, p. 547). También sin eufemismos le confiesa a Azaña su insatisfacción con lo que éste llama irónicamente su "entrada en el redil del presupuesto": "En mi ministerio como puedes muy bien comprender no hago más que perder el tiempo, pero ya sabes que no me proponía precisamente regenerar las relaciones culturales con Europa y América" (**ob. cit.**, p. 578). La correspondencia entre ambos contiene, por supuesto, numerosas referencias críticas al Directorio y, en particular, expresa una mutua y violenta indignación contra **El Sol** por sus ataques, en aquel contexto, a Unamuno.

(133) Rivas Cherif alude a esas colaboraciones periodísticas y parece muy preocupado en ese momento por su retribución económica (**Retrato, ob. cit.**, p. 547, 551, 555, 569 y 574).

(134) "Enriquelope **ha firmado** por fin para toda la temporada en el teatro del Centro, así que procuraré cargar de nuevo sobre él a propósito de **Los Trasatlánticos**, amén de "Pepita" (**ob. cit.**, p. 555). Rivas Cherif se refiere en el primer caso a la traducción que ambos realizaron en París de la obra de Abel Hermant (**ob. cit.**, p. 90), y, en el segundo, a la refundición por él realizada de la novela **Pepita Jiménez**, de Juan Valera, que se estrenó por fin en el Teatro Fontalba de Madrid el 18 de enero de 1929 y que fue publicada al mes siguiente por la colección de **El Teatro Moderno** (núm. 183,

un "Bradomín en la corte", anunciando y jaleando un poco las cosas de Valle. Espero que salga uno de estos días" (135). Dos días después, en efecto, Rivas Cherif publicaba en el *Heraldo de Madrid* una entrevista con Valle-Inclán que venía a romper un prolongado silencio del escritor tras su regreso del viaje mexicano. La novedad de esta nueva entrevista, aparecida el 2 de agosto de 1924, residía en que esta vez no hablaban de teatro sino de narrativa, ya que Valle-Inclán estaba escribiendo *Tirano Banderas* e iniciando la serie de *El ruedo ibérico,* novelas escritas desde esa visión esperpéntica de la historia y desde esas convicciones estéticas que el escritor había confesado a Rivas Cherif en su entrevista de *La Internacional* en 1920 (136). Esa evolución estética e ideológica de Valle-Inclán, anunciada en 1920, se ha consolidado definitivamente cuatro años después y Rivas Cherif la resume con estas palabras:

Ya no le gusta el "arte por el arte". Cree que el escritor ha de ir con su tiempo. Hay que hacer, pues, literatura política. Y, por consiguiente, política literaria.

Hay que infundir siempre en la realidad un gran concepto histórico -dice D. Ramón (137).

23-febrero-1929). No olvidemos, por otra parte, que ambos compartieron entonces un mismo interés por Valera y que Azaña publicó en 1927 un prólogo a **Pepita Jiménez** que puede leerse en **Obras completas**. México, Oasis, 1966, tomo I, pp. 919-946.

(135) Rivas Cherif, **Retrato, ob. cit.,** p. 555.

(136) Cfr. nota 36.

(137) **Heraldo de Madrid**, 2-agosto-1924; apud D. Dougherty, **ob. cit.,** p. 151.

Rivas Cherif valora la novela de *Tirano Banderas* como "la mejor obra del autor de las *Sonatas*, de las *comedias bárbaras*, de las últimas sátiras, que él llama *esperpentos*" (138) y, en alusión al título de su artículo ("Bradomín en la Corte"), aclara que Valle-Inclán está en Madrid, que "Bradomín está en la corte... de la inocente Isabel II" (139), es decir, que el novelista ha iniciado una novela histórica, *La corte de los milagros*, novela que no se publicará hasta 1927 y "primera parte de una serie de episodios tan nacionales y mucho más históricos que los de Galdós" (140), una "novela histórica que esperamos haya de serlo en los anales literarios que acaso con el tiempo se llame, para entendernos, del Directorio" (141).

6.1- El estreno de La cabeza del Bautista

Tras la definitiva suspensión gubernativa del semanario *España* (142), la llegada a Madrid el año 1924 del "Teatro dei Piccoli", que dirigía en Roma Vittorio Podrecca, iba a resultar decisiva para que Rivas Cherif tuviese su primera experiencia del teatro comercial. En efecto, según cuenta en su "Autobiografía", "llegó en esto a Madrid la compañía de marionetas de Podrecca, del Teatro dei Piccoli de Roma, y me fui con él como director de propaganda. Tal éxito tuve que al llegar al año

(138) Apud **ob. cit.**, p. 152.

(139) **Ob. cit.**, p. 153.

(140) **Ob. cit.**

(141) **Ob. cit.**, p. 154.

(142) "Un comentario anónimo del director de **España** al bombardeo de Corfú por el Gobierno fascista de Italia, precursor inmediato del Directorio español, determinó la suspensión gubernativa del semanario que, agobiado por la persecución del censor, dejamos de publicar definitivamente con el Año Nuevo" (Rivas Cherif, **Retrato, ob. cit.**, p. 128). El último número del semanario fue el 415, con fecha 29 de marzo de 1924.

siguiente Mimí Aguglia, famosa actriz italiana (...), me llevó de director literario en gira por España y Portugal con el actor mexicano, hoy casi retirado de la escena, Alfredo Gómez de la Vega" (143). Evelio Echevarría ha resaltado la importancia de ese teatro de marionetas italiano en la génesis del esperpento, compañía que "seguramente Valle-Inclán conoció en Madrid poco antes de 1921" (144). Sin duda que debió asistir a alguna de sus representaciones, porque, como el propio Echevarría nos recuerda, Valle-Inclán se refirió a él en una entrevista de 1921 que Dougherty ha recopilado en su valioso libro documental. Con la locuacidad y lucidez que el dramaturgo derrochó en su viaje americano, Valle-Inclán lo nombró como punto de referencia escénico de sus esperpentos: "Ahora escribo teatro para muñecos. Es algo que he creado y que yo titulo "esperpentos". Este teatro no es representable para actores, sino para muñecos, a la manera del Teatro "dei Piccoli" en Italia" (145). Por su parte, no olvidemos que en aquel año de 1920 en que la compañía romana representó por vez primera en Madrid, "Critilo" le había preguntado a Rivas Cherif desde las páginas de *España*: "¿Por qué no hay entre nosotros un "Teatro dei Piccoli"?" (146). Para completar esta relación entre la compañía italiana y la dramaturgia valleinclaniana, Melchor Fernández Almagro nos recuerda "la coincidencia del estreno en Madrid de *La cabeza del Bautista* con la actuación en la Zarzuela del "Teatro dei Piccoli", bajo la dirección de Vittorio Podrecca, su creador" (147). Ese estreno madrileño de la obra lo protagonizó el 17 de octubre de 1924 la compañía de Enrique López

---

(143) Rivas Cherif, "Memorias de un apuntador", **El Redondel,** México, 21-enero-1968. Véase, por ejemplo, "El Teatro "dei Piccoli" por dentro" (**Heraldo de Madrid, 25-octubre-1924, p. 5**).

(144) Evelio Echevarría, "El esperpento y el teatro de marionetas italiano". **Hispanic Review,** 43, 1975, p. 313.

(145) Apud D. Dougherty, **ob. cit.,** p. 122.

(146) Cfr. nota 50.

(147) M. Fernández Almagro, **Vida y literatura de Valle-Inclán.** Madrid, Taurus, 1966, segunda edición, p. 210. Una prueba concluyente de esa coincidencia es la "página teatral

Alarcón en el Teatro del Centro. Como el propio Fernández Almagro escribe, "gustó mucho *La cabeza del Bautista* a la actriz Mimí Aguglia, italiana, muy inclinada, por las predilecciones granguiñolescas de su repertorio, a la truculencia de esta "novela macabra" (148). Mimí Aguglia obtuvo el permiso de Valle-Inclán para representar la obra a través de Rivas Cherif, contratado "en condición de asesor y propagandista" (149) de su compañía. Y éste no oculta su satisfacción personal al haber obtenido la autorización del dramaturgo para representar la obra y su "difícil conformidad" tras juzgar su puesta en escena de este "melodrama para marionetas" que posee un inequívoco carácter granguiñolesco:

del "Heraldo" citada en la nota 143, en donde la información sobre el Teatro dei Piccoli viene acompañada por las "Confesiones de intérpretes. La cabeza del Bautista", en donde Alfonso Tudela (Don Igi), Juana Gil Andrés (La Pepona) y Alfredo Gómez de la Vega (El Jándalo) escriben sobre los personajes que interpretan.

(148) **Ob. cit.**, p. 204. Juan-Ignacio Murcia nos recuerda que Maurice Magnier fundó en París hacia 1896 el Théâtre du Grand-Guignol, el cual, bajo la dirección de Oscar Méténier, creó un repertorio pronto llamado "granguiñolesco", es decir, "según la definición de Antona-Traversi en su **Histoire du Grand-Guignol,** "piezas donde la farsa gruesa alterna con escenas de terror", aunque matiza la influencia del mismo sobre la dramaturgia de Valle-Inclán (J-I. Murcia, "Los resultados del grand-guignol en el teatro de ensayo español", en A.A.V.V., **El teatro moderno. Hombres y tendencias (Conferencias de Arrás, del 20 al 24 de junio de 1957).** Buenos Aires, Eudeba, 1967, pp. 250-266). La cita puede leerse en la página 257. Unvelina Perdomo prepara una comunicación al Congreso aludido en la nota 109 sobre **El "grand-guignol" y el Retablo de la avaricia, la lujuria y la muerte.**

(149) "El marido y empresario de una actriz italiana de cierta nombradía me pide colaboración, en condición de asesor y propagandista, para una excursión de su mujer actuando exóticamente en castellano y con compañía española en una serie de representaciones por la península, preparatoria de una gira eventual a la América del Sur" (Rivas Cherif, **Retrato, ob. cit.**, p. 128). Rivas Cherif vuelve a referirse al tema en **Cómo hacer teatro, ob. cit.,** p. 39 y 137.

Y me precio de haber obtenido de la difícil conformidad de Valle-Inclán el beneplácito de mi dirección de *La cabeza del Bautista* a Mimí Aguglia y Alfredo Gómez de la Vega (150).

Rivas Cherif nos recuerda que "con Alfredo Gómez de la Vega y la italiana Mimí Aguglia, que hacía de *La cabeza del Bautista* una verdadera creación, corrí gran parte de España y Portugal en 1924. La dimos en Santiago de Galicia por primera vez y el éxito fue de verdadera apoteosis para Valle-Inclán cuando asistió a su estreno en Barcelona" (151). El estreno de *La cabeza del Bautista* el 20 de marzo de 1925 en el Teatro Goya de Barcelona contó efectivamente con la presencia del autor y constituyó un notable éxito, al que siguió días después un cálido homenaje que los escritores catalanes tributaron al dramaturgo (152).

(150) C. Rivas Cherif, "El teatro en mi tiempo", **ob. cit.**, p. 64.

(151) **Ob. cit.**, p. 66. En un artículo publicado entonces, Rivas Cherif lamentaba que la actriz no hubiera tenido la oportunidad de representar en el madrileño Teatro del Centro, entre otras, **La hija de Yorio**, "y, sobre todo, no tuvo ocasión de encarnar la protagonista de **La cabeza del Bautista**, de Valle-Inclán, bien acogida por el público con la discreta interpretación de la actriz que aquí la estrenó; pero cuya primera representación en Barcelona por Mimí Aguglia refrendó con caracteres de apoteosis la consagración de la gran actriz a la escena española" ("Mimí Aguglia y Valle-Inclán". **Heraldo de Madrid**, 7-noviembre-1925, p. 5). En este mismo artículo afirma sobre el personaje de La Pepona que es "encarnación magnífica de un tipo real dignificado por el trasunto mítico, en un ambiente de poética vulgaridad realizada por el aliento trágico bufo de la musa modernísima de D. Ramón del Valle-Inclán" (**ob. cit**). Sobre "el aliento trágico bufo de la musa modernísima" del dramaturgo puede consultarse mi **Guía de lectura de Martes de carnaval** (Barcelona, Anthropos-Taller d'Investigacions Valleinclanianes, número 1 de la colección Maese Lotario, 1992, especialmente pp. 25-37).

(152) Sobre este estreno puede leerse el artículo de Carlos Meneses, "El estreno en Barcelona de "La cabeza del Bautista". **Camp de l'Arpa**, 97, marzo de 1982, pp. 18-21. Adrià Gual, por su parte, publicó una reseña del mismo en donde pinta una curiosa

Durante el año 1925 la correspondencia entre Rivas Cherif y Azaña se intensifica y, como aquél viaja con la compañía de Mimí Aguglia "en calidad de Agente de Publicidad" (153) por toda España, el intercambio epistolar no se reduce únicamente, como hasta ahora, al verano. Por ejemplo, en enero la compañía actúa en Andalucía y Rivas Cherif debuta como conferenciante en Sevilla (154), con viajes profesionales a Córdoba y Huelva (155). Invitado por "Ariel (el Ateneo disidente, de Salinas y sus amigos", quienes le habían pedido "una conferencia literaria" (156), Rivas Cherif les habla a finales de enero en Sevilla precisamente sobre "Los esperpentos de Valle-Inclán":

He dado, ante veinte amigos mal contados, una preciosa conferencia sobre "Los esperpentos de Valle-Inclán" en "Ariel", Sociedad de Estudios y Conferencias que preside Salinas. He tenido muchísimo suceso, y por primera vez he hablado ¡1 hora y diez! sin llevar escrito más que un leve guión (157).

observación: "En **La cabeza del Bautista,** Mimí Aguglia contribuye de una manera perfecta a dibujar de rojo y negro la composición de Valle-Inclán, donde el rojo y el negro son excesivos por la sencilla razón, escuchada de labios del propio autor, de no haber sido aquella obra concebida para el teatro" ("De Barcelona. La cabeza del Bautista". **Heraldo de Madrid,** 18-abril-1925, p. 5). María Fernanda Sánchez-Colomer prepara en nuestro Taller un trabajo sobre **Cuatro estrenos barceloneses de Valle-Inclán,** que aparecerá en 1993 como número 2 de esta misma colección Ventolera.

(153) Rivas Cherif, **Retrato, ob. cit.,** p. 585. En carta a Azaña, fechada en Lisboa el 11 de junio de 1925, escribe: "Yo, Press-Agent y nada más" (**ob. cit.,** p. 621).

(154) **Ob. cit.,** p. 587.

(155) "Anoche lucí de nuevo mis habilidades de **hombre público,** saliendo al escenario del enorme San Fernando a leer una tontería que nos habían mandado los Quinteros en el día de **Marianela"** (carta fechada en Huelva el 26-enero-1925, en **ob. cit.,** p. 591).

(156) Carta del 23-enero-1925, en **ob. cit.,** p. 587.

(157) Carta del 30-enero-1925, en **ob. cit.,** p. 593. Ese mismo día asistió Rivas Cherif en Sevilla al estreno del **Retablo de Maese Pedro,** de Falla, "que ha salido bastante desigual;

A las facetas ya consideradas de crítico, director de escena y editor, tenemos que sumar la de conferenciante para completar la pasión propagandista realizada por Rivas Cherif durante aquellos años de la obra de Valleinclaniana. En su caso, esa actitud era consecuencia lógica de su admiración por la dramaturgia valleinclaniana, quien por entonces también reconocía el talento escénico y la capacidad de iniciativa y trabajo del joven director. Azaña se lo atestigua en una de sus cartas:

> Valle me ha dicho que andas, o mejor, que corres, muy ocupado. Admira tu actividad: "¡¡¡Las cosas que hace!!!", repite a cada momento. Te atribuye mucha parte en el buen éxito de la compañía... (158).

En esta extensa carta, fechada en Madrid el 30 de marzo, Azaña, -con la habitual ironía con la que se refiere a Valle-Inclán, al que epistolarmente denomina reiteradamente, por sus estrafalarias excentricidades, como "el fenómeno"-, le comenta a Rivas Cherif su cambio en la tertulia hacia una actitud inédita de seriedad y mesura:

> Valle está cada vez más cambiado. Ya no inventa apenas nada, ni se exalta, ni alborota como antes. Suprimida la fantasía en la conversación, se empeña en tratar seriamente de cosas pesadas por sí mismas, como la política, la historia "libremente interpretada", el

pero hemos aplaudido mucho" (**ob. cit.**, p. 593). Pedro Salinas publicaría años después un ensayo sobre el tema de la conferencia sevillana de Rivas Cherif, ensayo titulado "Significación del esperpento o Valle-Inclán, hijo pródigo del 98", recopilado en su libro **Literatura española siglo XX**. Madrid, Alianza, 1970, pp. 86-114. El profesor Juan Rodríguez, por su parte, prepara en nuestro Taller un trabajo sobre **Valle-Inclán, hijo espúreo del 98,** que se publicará como número 2 de nuestra colección Estrafalaria.

(158) Carta de Azaña a Rivas Cherif, fechada el 30 de marzo de 1925, en **Retrato, ob. cit.,** p. 602. En **Cómo hacer teatro**, Rivas Cherif escribe un nuevo elogio teatral de Valle-Inclán: "Yo le había oído contar a Valle-Inclán el efecto que obtenía Sarah Bernhardt con que se la llevaran, cuerpo muerto de Hamlet, sobre un escudo, descolgada la cabeza y la melena sobre el rostro. (No sé quién me dijo maliciosamente que don

cultivo del maíz y los foros (159).

La fabulación valleinclaniana era inagotable pero, por el testimonio de Azaña sabemos que ahora, lejana la Leyenda modernista, Valle-Inclán fabula sobre la Historia, una historia "libremente interpretada" que irá reflejando artísticamente en sus esperpentos. Valle-Inclán ya ha acabado de escribir *La corte de los milagros* y, según Azaña, "está muy contento con la publicación de su novela en el papel suramericano" (160). Por su parte, Rivas Cherif, en una carta fechada en Palma de Mallorca el 31 de marzo,

Ramón no vio nunca a Sarah, que no asistió a sus representaciones en Madrid y que Sarah Bernhardt no hacía nada de lo que le atribuía. Tanto mejor para mi opinión sobre Valle-Inclán hombre de teatro.")(**ob. cit.**, p. 247)

(159) **Ob. cit.**, p. 603. Y, con ironía mal disimulada, apostilla: "Para que veas si nuestro pobre fenómeno está cambiado, imagínate que en el conflicto Baroja-Juan de la Encina, quiere hacer de prudente mentor" (**ob. cit.**, p. 604). Rivas Cherif, por su parte, testimonia que "la Guerrero le llamaba siempre así, "la fiera" (**Cómo hacer teatro, ob. cit.**, p. 269). Sobre el incidente entre Valle-Inclán y la compañía Guerrero-Díaz de Mendoza a propósito del estreno de **La Marquesa Rosalinda**, cfr. **ob. cit.**, pp. 268-269. En cualquier caso, "el fenómeno" (Azaña) o "la fiera" (María Guerrero) son denominaciones significativas de esa condición **estrafalaria** del personaje Valle-Inclán.

(160) **Ob. cit.**, p. 603. Azaña se refiere a la publicación por el diario bonaerense **La Nación** de su novela **La corte de los milagros,** por la que Valle-Inclán pidió a Julio Alvarez del Vayo la cantidad de cinco mil quinientas pesetas: "El caso es que al fenómeno le han indicado que pida dos mil pesos, y eso ha pedido; serán unas cinco mil quinientas pesetas. El hombre está encantado. Hará mucho tiempo que no las ha visto juntas, si alguna vez las ha visto; y no sacará más de la venta de una edición entera de uno de sus volúmenes. **Mi señora Doña Josefina** está dándose prisa a copiar la obra, que es **La corte**" (**ob. cit.**, p. 604). El escritor alude al hecho en una entrevista con Francisco Madrid: "Voy a empezar mi colaboración dentro de poco en **La Nación**, de Buenos Aires, pero no con artículos, sino con una novela: **La corte isabelina**" (**La Noche**. Barcelona, 20-marzo- 1925; apud D. Dougherty, **ob. cit.**, p. 155). No olvidemos que Valle-Inclán mantuvo toda su vida la convicción de que la servidumbre a la prensa "avillana el estilo y empequeñece todo ideal estético" (Manuel Bueno, "Días de bohemia". **La Pluma**, 32, enero de 1923, p. 44), por lo

le comenta a Azaña la estancia de Valle-Inclán en Barcelona con motivo del estreno de *La cabeza del Bautista:*

> Excuso ponderaros su estancia en Barcelona. La obra fue un gran éxito y se seguiría dando aún a no haberse marchado Tudela. Pero ya se la está aprendiendo el Sr. Somera, quien por otra parte me parece que tampoco hará los huesos duros en nuestra compañía. Valle estuvo magnífico, y como a Benavente le habían tratado tan mal, estaba de lo más hueco (161).

Pese a estos elogios, Rivas Cherif lamenta la informalidad de Valle-Inclán para cumplir sus compromisos y, con gráfica expresión, le ruega a Azaña: "Dile a Don Ramón, para quien te mando estos recortes, que haga el puñetero favor de mandarme la carta prometida, que me valga para el estreno de *La cabeza* en Valencia" (162). Azaña no tiene más remedio que informarle, en carta del 25 de abril, que el escritor, tras unas noches en su tertulia madrileña, en donde "Valle predicaba contra la

que prefirió que sus colaboraciones periodísticas, fuente fundamental de ingresos literarios para los escritores, fueran antes fragmentos por entregas de sus obras que artículos. El periodista Francisco Madrid publicó ya en el exilio una biografía del escritor, en donde se congratuló de haber tenido "la suerte de acompañar a don Ramón por sus paseos catalanes" (**La vida altiva de Valle-Inclán.** Buenos Aires, Editorial Poseidón, 1943, p. 24). A la entrevista de 1925 asistió Rivas Cherif, a quien Madrid dedicó su libro en 1943: "A Cipriano Rivas Cherif, en una cárcel española".

(161) **Ob. cit., pp.** 608-609. En una carta fechada el 19 de marzo, Azaña demuestra conocer las discrepancias internas de la compañía ("Hoy hemos sabido que el actor llamado Tudela se ha separado de vuestra compañía"), al tiempo que le previene contra el señor Ferran, empresario de la compañía y marido de la Aguglia, "porque todos son simpáticos y amables, hasta que hacen la primera trastada; ejemplo, Podrecca" (**ob. cit,** p. 599). Sin embargo, Rivas Cherif tranquiliza a Azaña porque, "mientras los Aguglios se sigan portando como hasta ahora" (**ob. cit.,** p. 608), prefiere seguir con ellos y no colaborar por el momento con el actor Francisco Morano, quien le ha ofrecido un contrato.

(162) Carta fechada en Valencia el 23-abril-1925, en **ob. cit,** p. 614. La sincera admiración de Rivas Cherif por Valle-Inclán, "mi amigo y maestro en tantas cosas de teatro" (**Cómo**

flaqueza de escribir para el teatro que, según dice, domina a muchos literatos" (163), ha regresado a Galicia sin cumplir su compromiso, pese a la insistencia amistosa de Sindulfo de la Fuente, un amigo común: "Sindulfo está muy incomodado con esa fuga, parecida a otras muchas; y más incomodado porque le ha recordado varias veces el encargo de la carta para la Aguglia, y no lo ha cumplido. Así es el fenómeno" (164). En mayo sigue la compañía en Barcelona y, según Rivas Cherif, le "ha escrito Valle, que está escribiendo un drama rústico para Mimí" (165), proyecto frustrado sobre el que Azaña, de nuevo, tiene que volver a desilusionarle en carta del 2 de julio, ya que según sus noticias Valle-Inclán "no ha escrito, ni me parece que está en escribir el drama para la Aguglia" (166). A cambio, el escritor acaba de protagonizar un gesto olímpico contra el Directorio cuando, en un homenaje al mexicano Vasconcelos celebrado en el hotel Ritz madrileño y al que Valle-Inclán ha acudido "con el chaquet que se hizo para ir a comer con Dato" (167), tomó la palabra el general Magandia. Fue entonces cuando -siempre según Azaña-, Valle-Inclán "se puso de pie, tomó el sombrero, y diciendo a grandes voces: ¡Yo no puedo estar donde haya un representante del Gobierno!, se marchó, seguido de Américo Castro (168). Por su parte, Rivas Cherif estaba en agosto con la compañía en San Sebastián (169), pero pudo reunirse a continuación en

hacer teatro, ob. cit., p. 314), no es óbice para que en una carta a Azaña fechada en Zarauz el 17 de agosto de 1931 se refiera a él como "el pelmazo de Valle" (Cartas 1917-1935, ob. cit., p. 117).

(163) Retrato, ob. cit., p. 615.

(164) Ob. cit.

(165) Carta fechada en Barcelona el 25-mayo-1925, ob. cit., p. 620.

(166) Ob. cit., p. 627.

(167) Ob. cit.

(168) Ob. cit.

(169) "Se llenó el teatro tarde y noche para los Seis personajes, hablé al principio, no me tiraron nada, y hoy se repite y se va vendiendo mucho. La gente no se enteró del argumento, pero aplaudió. En vista de eso, se salvan del ostracismo estos últimos días,

Bilbao con Azaña, de nuevo juez en unas oposiciones para notarías (170). El fin de su relación con la compañía de Mimí Aguglia estaba ya muy próximo, puesto que, según su propio testimonio, "de regreso en Madrid, inválido por un ataque de reuma neurítico, dejo la compañía de la italiana" (171).

6.2- El Mirlo Blanco

La voluntad renovadora de un hombre de acción teatral como Rivas Cherif no le permitió una convalecencia excesivamente larga. Tanto él como Valle-Inclán y Azaña asistían regularmente a una tertulia que se reunía los sábados por la noche (172) en la casa del pintor Ricardo Baroja, hermano de Pío y casado con Carmen Monné, una mujer norteamericana de ascendencia catalana con veleidades artísticas. Aunque Rivas Cherif no tenía una relación especialmente cordial con los Baroja -recordemos que Pío Baroja, junto a Felipe Trigo y Valle-Inclán, había formado parte del jurado que premió en 1908 su novelita *Los cuernos de la luna*-, Valle-Inclán y Ricardo Baroja eran viejos amigos, contertulios ya desde los tiempos del Café de Madrid en 1897-1898 (173). Por otra parte, tanto Azaña como Rivas Cherif habían incluido en *La Pluma* una "palinodia" satírica contra ciertos escritores españoles, entre ellos Pío Baroja, que de seguro les debió granjear su antipatía. Por tanto, parece plausible pensar que era Ricardo Baroja quien aglutinaba a los miembros de la tertulia. Por la correspondencia entre Azaña y Rivas Cherif sabemos

Cada cual a su manera y Valle-Inclán" (Carta fechada en San Sebastián el 5-agosto-1925, en **ob. cit.**, p. 634).

(170) **Ob. cit.**, p. 130.

(171) **Ob. cit.**, p. 131.

(172) **Ob. cit**, p. 546, nota 2.

(173) El propio Ricardo Baroja relata su conocimiento de Valle-Inclán en aquel Madrid "absurdo, brillante y hambriento" de la bohemia modernista en el capítulo "Dramatis personae" de su libro **Gente de la generación del 98** (Barcelona, Editorial Juventud, 1969, pp. 21-26).

que ambos asistían regularmente a ella -al menos desde 1924 (174)-, y por el testimonio personal de Rivas Cherif conocemos el origen de El Mirlo Blanco, su segundo intento teatral renovador, tras el Teatro de la Escuela Nueva, en aquella década de los años veinte:

> Ricardo nos leyó algún ensayo dramático de su minerva y ello fue causa de que a mí se me ocurriera organizar un escenario de cámara en aquel mismo lugar, que con el nombre de "Teatro del Mirlo Blanco", a imitación paródica de los "Murciélagos", "Pájaros azules" y "Gallos de oro" de que se titulaban algunas compañías exóticas que por entonces corrieron Europa procedentes de Rusia y Alemania, tuvo cierto renombre por su misma exclusividad, ya que la entrada, muy reducida siempre por lo exiguo del local casero, estaba limitadísima a las familias de los autores, que doblados de intérpretes de sí mismos en su mayoría, y en proporción muy superior los dueños de la casa, nos guisábamos y nos comíamos aquel teatro de Juan Palomo (175).

(174) "Anoche estuvimos chez Baroja, que se van a Barcelona" (Carta de Rivas Cherif a Azaña, fechada en Madrid el 21-julio-1924, en **Retrato, ob. cit., p.** 546). En la revista **La Pluma** que, como hemos visto, dirigieron ambos, apareció la siguiente nota anónima: "Palinodia.- Esta revista no cuenta con la colaboración de don Mariano de Cavia, don Jacinto Benavente, **don Pío Baroja,** don José Ortega y Gasset, don Ricardo León, don Julio Camba, don Eugenio D'Ors, don José Martínez Ruiz (Azorín), la condesa de Pardo Bazán, ni, probablemente, con la de don Gregorio Martínez Sierra. Imponiéndonos cuantiosos sacrificios, hemos adquirido la seguridad de que no colaborará en **La Pluma** Don Julio Senador Gómez" (1, enero de 1920, p. 48). La alusión a Ortega convertía también en impertinente la sugerencia que Azaña realizaba a Rivas Cherif en una carta fechada en Madrid el 25 de abril de 1925: "No sé noticias. Como no sea noticia el que Ortega piensa fundar un teatro de Arte. ¿Por qué no te ofreces?" (**ob. cit.,** p. 619). En rigor, Ortega no demostró una excesiva sensibilidad teatral y su **Idea del teatro** no se publicó hasta 1946. Por otra parte, está claro que la **Revista de Occidente** -salvo contadas excepciones, como la de **Los medios seres,** de Gómez de la Serna-, no concedió una excesiva atención a la vanguardia escénica.

(175) Rivas Cherif, **Retrato, ob. cit,** pp. 145-146. En sus "Memorias de un apuntador", proporciona datos curiosos que conviene citar: "Yo me di a fundar en casa de los Barojas

El Mirlo Blanco fue un verdadero "teatro de cámara" (176) que, entre el 7 de febrero de 1926 y el 7 de agosto de 1927, presentó cinco programas distintos con una excelente acogida por parte de la crítica (177)

el Teatro del Mirlo Blanco, en el que no cabían más que setenta espectadores y en el que sólo dábamos tres representaciones de cada programa, para un público escogidísimo. La primera representación era la de estreno, la segunda la matinée, que Valle-Inclán no sé por qué llamaba la función de "las viudas", y la última, que era la "cen-tésima" (**El Redondel.** México, 28-enero-1968).

(176) Enrique Díez-Canedo, autor de cuatro reseñas críticas publicadas en **El Sol** sobre "El Mirlo Blanco", opinaba que se trataba de "un teatro que no es teatro de aficionados" sino "un verdadero teatro de cámara" (en **Artículos de crítica teatral, ob. cit.,** tomo IV, pp. 150-154). Sobre los teatros "de muchedumbres" y "de minorías" reflexiona Luis Araquistain en unas páginas de su ensayo titulado **La batalla teatral** (Madrid, Mundo Latino, 1930). Y si está convencido de que "el teatro de hoy en España es exclusivamente un teatro de muchedumbres" (**ob. cit.,** p. 69) y de que éste "degenera inevitablemente, tarde o temprano, en la insustancialidad y en la monotonía (**ob. cit.,** p. 71), el teatro de minorías, en cambio, por "su modesta organización económica", constituye una "especie de pequeña industria que permite el ensayo de toda clase de obras sin necesidad de que sean grandes éxitos" (**ob. cit.,** p. 73). De estos teatros experimentales, tan fecundos para la renovación dramatúrgica y escénica, "salen a la larga los directores, autores y comediantes que han de renovar los teatros de muchedumbres" (**ob. cit.,** p. 73). Araquistain cita el ejemplo de Adrià Gual y su "Teatre Íntim" en Barcelona. Parece injusta, sin embargo, su omisión del de Rivas Cherif, porque aunque sea cierto que "en Madrid ha habido diversas tentativas, si bien de escasa continuidad" (**ob. cit.,** p. 74), no cabe duda de que las más interesantes cualitativamente fueron protagonizadas por Rivas Cherif. Más justamente, Díez Canedo acierta a valorar el trabajo renovador de Rivas Cherif, "cultivador de todas las actividades teatrales y único director en activo al tanto del movimiento extranjero, que no copia de manera literal, sino que acomoda a las condiciones de nuestra escena" (en **Artículos de crítica teatral, ob. cit.,** tomo I, p. 57).

(177) Por ejemplo, además de Díez-Canedo, el crítico Rafael Marquina ("Una fiesta de arte. **Heraldo de Madrid,** 8-febrero-1926) o el crítico de **ABC,** quien, el 11 de febrero de ese año 1926 afirmaba que "la función, descontados otros méritos, sirvió para demostrar que todavía es posible interesar a un corto grupo de espectadores inteligentes" (apud

y del selecto público que, en muy reducido número, podía acceder a contemplar sus representaciones en la madrileña calle de Mendizábal número 24, el hogar familiar de los Baroja (178). El Mirlo Blanco suscitó también la simpatía de la minoría teatral renovadora, por ejemplo de Adrià Gual (179), y, además de la puesta en escena de algunas obras de Pío y Ricardo Baroja (180), sirvió para que Rivas Cherif volviera a poner en escena algunas obras de la dramaturgia valleinclaniana.

Gloria Rey Faraldos, "Pío Baroja y "El Mirlo Blanco". **Revista de Literatura**, 93, enero-junio de 1985, pp. 117-127). Sobre el tema debe consultarse también el documentado trabajo de Juan Aguilera Sastre, "La labor renovadora de Cipriano de Rivas Cherif en el teatro español: El Mirlo Blanco y El Cántaro Roto (1926-1927)"(**Segismundo**, 39-40, 1984 , pp. 233-245) y el más breve y superficial de Juan Antonio Hormigón, "Del Mirlo Blanco a los teatros independientes" (**Cuadernos Hispanoamericanos**, 260, febrero de 1972, pp. 349- 355).

(178) Julio Caro Baroja, en sus "memorias familiares", tituladas **Los Baroja** (Madrid, Taurus, 1972, pp. 184-188), evoca las relaciones entre su familia, Rivas Cherif ("Mi tío Pío (...) creía que era un "señorito" y nada más", **ob. cit.**, p. 184), Valle- Inclán y Azaña ("dos personas a las que mi tío Pío no aguantaba bien", **ob. cit.**, p. 69). En su ensayo "Recuerdos valleinclanesco-barojianos o las luces de la bohemia" recuerda la interpretación de doña Brígida por Valle-Inclán en una parodia del **Don Juan Tenorio**, mientras que reconstruye la historia de "El Mirlo Blanco" en **Semblanzas ideales**. Madrid, Taurus, 1972, pp. 119-131.

(179) Adrià Gual elogia el "pequeño cenáculo, teatro popular (no populachero)" en su artículo "Yo quisiera una parte en el festín" (**Heraldo de Madrid**, 1-mayo-1926; apud G. Rey Faraldo, **ob. cit.**, p. 119 y Juan Aguilera Sastre, **ob. cit.**, p. 236). Por su parte, Rivas Cherif escribe sobre los "Propósitos incumplidos del Teatro Íntimo en Madrid, con otros atisbos de esperanza". **Teatron**, 1, 1926, p. 2. Sobre esta segunda época del Teatre Íntim puede consultarse el artículo de Enric Gallén, "La reanudación del "Teatre Íntim" de Adrià Gual", en AAVV, **El teatro en España, entre la tradición y la vanguardia, 1918-1939,** edición de Dru Dougherty y María Francisca Vilches de Frutos. Madrid, Consejo Superior de Investigaciones Científicas-Fundación Federico García Lorca, 1992, pp. 165-173.

(180) Las obras de Pío Baroja representadas por El Mirlo Blanco fueron **Adiós a la bohemia** y **Arlequín mancebo de botica o los pretendientes de Colombina**, esta última

En efecto, el 7 de febrero de 1926, en el primer programa de El Mirlo Blanco, Valle-Inclán vio estrenado el prólogo y epílogo de su esperpento de *Los cuernos de don Friolera*: Francisco Vighi hizo de Compadre Fidel, el propio Rivas Cherif "prestó su voz a los muñecos" (181), Fernando García Bilbao recitó el romance de ciego, mientras que "Julio Caro Baroja, entonces un niño, había pintado un cartelón con la historia del romance" (182). Rivas Cherif interpretó el Arlequín de la obra de Pío Baroja, *Arlequín, mancebo de botica*, representada el 20 de marzo de 1926 con un vestuario diseñado por Mignoni, el futuro escenógrafo de *El embrujado* en su puesta en escena de 1931. Esta obra, más *Trance*, de Rivas Cherif, un "cuadro de gran guiñol publicado anteriormente en *La Pluma* e interpretado por el propio autor en el papel de profesor y por Carmen Juan de Benito en el de paciente" (183), compusieron el segundo programa de El Mirlo Blanco. Pero, de nuevo, Rivas Cherif volvió a montar otra obra de Valle-Inclán, esta vez *Ligazón*, un "auto para siluetas"

escrita expresamente para su estreno por el grupo. Por su parte, se ensayó también **El pedigrée,** de Ricardo Baroja, que no llegó a estrenarse según Rivas Cherif ("El Pedigrée". **Heraldo de Madrid,** 12-junio-1926; apud G. Rey Faraldo, **ob. cit,.** p. 120, nota 11). Con motivo de su edición, Valle-Inclán escribió un prólogo en donde, al tiempo que nos informa de que "esta deliciosa farsa" la había publicado **Revista de Occidente** con algunas mutilaciones", reconstruye su memoria de aquellas "grotescas horas españolas en que todo suena a moneda fullera", aquellos años de bohemia modernista y cafés finiseculares en que conoció al autor del libro. Este prólogo de Valle-Inclán ha sido recopilado por Juan Antonio Hormigón en **ob. cit,** pp. 443-447).

(181) J. Aguilera Sastre, **ob. cit.,** p. 237. Rivas Cherif lo incorporó durante los años de su exilio a sus "Solos de Bululú" como "representativo de la estética de Valle-Inclán" ("El teatro en mi tiempo", **ob. cit.,** p. 68).

(182) G. Rey Faraldo, **ob. cit.,** p. 121, nota 16.

(183) J. Aguilera Sastre, **ob. cit.,** p. 237. **Trance** se publicó en **La Pluma,** 36, mayo de 1923, pp. 384-389. R(afael) M(arquina) lo califica como "cuadro de gran guiñol que Cipriano Rivas Cherif se sacó de la cabeza... de André Lorde, sin dar lugar (tal era la corrección de etiqueta de su cuadro espeluznante) a que le metieran los pies" ("El Mirlo Blanco". **Heraldo de Madrid,** 27- marzo-1926, p. 4).

-estrenado el 8 de mayo dentro ya del tercer programa- que, según el director, fue escrito por el dramaturgo "expresamente para el teatrillo casero del "Mirlo Blanco" (184) y en donde "volvió a las tablas su mujer, Josefina Blanco" (185). El crítico Juan G. Olmedilla, quien elogia a Rivas Cherif por ser "escrupulosamente respetuoso como director de escena -"rara avis" entre los pajarracos de la especie" (186)- publica una reseña crítica del estreno de *Ligazón* en donde, al tiempo que acusa a los actores españoles por su valoración injusta de la dramaturgia valleinclaniana como irrepresentable, resalta -coincidiendo en ello con el criterio reiteradamente expresado por el propio Rivas Cherif-, su extraordinaria plasticidad escénica:

> Y no, a fe, porque el texto sea irrepresentable, según achacan algunas bandas de cómicos a los textos valleinclanescos -ilos más plásticamente teatrales de nuestro actual teatro por ser, en mi sentir, los que poseen un sentido más italiano de la plasticidad escénica!-, sino porque a la mayoría de esos miles de actores que no actúan en "El Mirlo Blanco" les falta el principal motor entusiasta del actor: la disciplina, la servidumbre heroica de la obra tal y como expresamente escribió el autor que se la sirviera (187).

(184) C. Rivas Cherif, "El teatro en mi tiempo", **ob. cit.**, p. 66.

(185) En sus "Memorias de un apuntador" escribe sobre El Mirlo Blanco: "Allí estrené un acto de gran guiñol, **Trance,** que yo mismo representé; el **Arlequín, mancebo de botica,** de Baroja, en que hice el protagonista y el boticario, y una obra expresamente escrita por Valle-Inclán, **Ligazón,** en que volvió a las tablas su mujer, Josefina Blanco" (**El Redondel,** México, 28-enero-1968).

(186) Juan G. Olmedilla, "Teatro de cámara "El Mirlo Blanco". Un estreno de Valle-Inclán en casa de los Baroja". **Heraldo de Madrid,** 11-mayo-1926, p. 4.

(187) **Ob. cit.** Además de los actores (Josefina Blanco, Carmen Juan de Benito, "Beatriz Galindo" (Isabel Oyarzábal de Palencia), Fernando García Bilbao y Rivas Cherif), intervinieron también en la puesta en escena Ricardo Baroja y Carmen Monné: "Ricardo Baroja se ocupó de la escenografía, que consistió en un fondo con un paisaje nocturno, una tapia y una casa en primer término, con puerta y ventana practicables. Tras la ventana

En el intermedio de este tercer programa "Rivas Cherif recitó poesías de Valle-Inclán" (188), recital que repetiría en una "Fiesta de poesía y música" celebrada los días 30 de noviembre y 5 de diciembre tras la primera representación de El Cántaro Roto (189) y motivo para escribir un artículo en donde defendía "las posibilidades de recitación de la poesía moderna, negadas por muchos" (190).

6.3- El Cántaro Roto

Es de nuevo el autorizado testimonio de Rivas Cherif el que nos permite conocer la génesis de El Cántaro Roto, el intento de renovación escénica que protagonizaron al alimón Valle-Inclán y él mismo:

se veía una habitación en la que ocurre una de las escenas. Los efectos de luz y sombra, tan importantes en este "auto para siluetas", los realizó Carmen Monné" (G. Rey Faraldo, **ob. cit.**, p. 124, nota 30). Julio Caro Baroja alude también al decorado en **Los Baroja, ob. cit.,** p. 187.

(188) J. Aguilera Sastre, **ob. cit.**, p. 239. En la clausura de la Exposición de Arte catalán moderno, Rivas Cherif también recitó poemas de diferentes poetas, entre ellos la "Rosa del Sanatorio", de Valle-Inclán: "Todas merecieron el caluroso aplauso de los oyentes; algunas, las más atrevidas de imágenes o de técnicas, arrancaron ovaciones: la del venerable, híspido y rebelde -itan gloriosamente contumaz en su rebeldía!- D. Ramón del Valle-Inclán removió de una manera conmovedora e inolvidable al auditorio. D. Ramón tuvo que ceder en su honesta huraña y mostrarse al público para recoger su tenaz fervor, que duró unos largos minutos" ("Ortega y Gasset clausura con un bellísimo discurso la Exposición de Arte catalán moderno. Una gran fiesta literaria. Emocionante ovación a Valle-Inclán". **Heraldo de Madrid,** 1- febrero-1926, p. 1).

(189) "Rivas Cherif recitó poesías del Marqués de Santillana, de Góngora, de Rubén Darío, de Antonio Machado, de Juan Ramón Jiménez, de Valle-Inclán y de otros autores" ("Una fiesta de poesía y música en el Círculo de Bellas Artes". **Heraldo de Madrid,** 1-diciembre-1926; apud J. Aguilera Sastre, **ob. cit.**, p. 241).

(190) J. Aguilera Sastre, **ob. cit.**, p. 241. El artículo aludido se titula "De la poesía lírica y su recitación" y fue publicado el 14 de diciembre de 1926 por el **Heraldo de Madrid.**

Animado por aquel ensayo (el de "El Mirlo Blanco"), Valle-Inclán fundó conmigo en el Círculo de Bellas Artes de Madrid la Compañía del Cántaro Roto, donde dimos parte del repertorio del Mirlo Blanco, ya para público de pago, y **La comedia nueva o el café,** de Moratín (191).

Los estudiosos de Valle-Inclán, Jean-Marie Lavaud por ejemplo, han tendido a resaltar el protagonismo de Valle-Inclán en El Cántaro Roto, matizado por los estudiosos de Rivas Cherif, Juan Aguilera Sastre por ejemplo. Para nuestro propósito lo fundamental es que ambos confluyen de nuevo, tras el fracaso del Teatro de la Escuela Nueva y del Teatro de los Amigos de Valle-Inclán, en un nuevo intento renovador de la escena española. La solemne inauguración por el Rey del nuevo edificio del Círculo de Bellas Artes madrileño el 8 de noviembre de 1926, con un teatro anexo, permite que el 19 de diciembre El Cántaro Roto realice su presentación con un programa compuesto por *Ligazón* y *La comedia nueva o el café*, de Moratín. El 28 de diciembre se representa un segundo programa, compuesto por *La comedia nueva* y el *Arlequín, mancebo de botica , o los pretendientes de Colombina*, de Pío Baroja (192). Por tanto,

(191) Rivas Cherif, "Memorias de un apuntador". **El Redondel,** México, 28-enero-1968. En **Cómo hacer teatro** escribe: "Me asocié a Valle-Inclán en una "Compañía del Cántaro Roto", con que actuamos breve y lucidamente en el Círculo de Bellas Artes de Madrid, en diciembre de 1926. Malograda aquella empresa por la intemperancia congénita de mi gran amigo y maestro, a quien hubiera correspondido, en otro ambiente y circunstancias que las de su injusta vida literaria, el papel de regenerador de nuestro teatro, que entendía por modo muy superior a los reformadores europeos de su tiempo y con anticipación clarividente..." (**ob. cit.,** p. 41).

(192) En un texto periodístico sin firmar puede leerse: "Hemos querido hablar con don Ramón y que nos explicara el alcance de sus propósitos. El autor de **Ligazón,** el intenso drama de que se dará mañana la primera representación, prefiere remitirse a las palabras con que se dirigirá al público antes de descorrerse la cortina para **La comedia nueva o El café,** de Moratín, con cuya sátira ejemplar se abrirá esta curiosa temporada de representaciones extraordinarias, al margen del repertorio corriente, a la vez ensayo

hay que convenir con Aguilera Sastre en que la labor de Valle-Inclán como director de escena "se redujo prácticamente a la obra de Moratín" (193), puesto que las otras dos obras ya habían sido puestas en escena por El Mirlo Blanco, dirigido por Rivas Cherif. En rigor, El Cántaro Roto fue una nueva versión de El Mirlo Blanco cuya principal novedad residió, sin embargo, en la actitud ahora militante de Valle-Inclán, regresado a la arena escénica para encabezar una política teatral renovadora contra los Comellas coetáneos, cuyo punto de referencia simbólico era precisamente

incipiente y escuela en que han de colaborar los aprendices de actores y el público selecto, solicitado por el interés de un espectáculo ejemplar en su misma modestia" ("¿Un Teatro Escuela? Los "Ensayos" de Valle-Inclán en el Círculo de Bellas Artes". **Heraldo de Madrid,** 18-diciembre-1926, p. 4). En su reseña crítica del estreno, Rafael Marquina expresaba su frustración tras escuchar esas palabras del dramaturgo, puesto que, "demasiado modesto, el señor Valle-Inclán se limitó en cuanto al plan de conjunto a declarar la buena intención y el encendido fervor que anima al grupo de artistas que, bajo su turbulenta dirección serena, acomete el empeño. Y en cuanto al programa de la primera sesión, no creyó sin duda oportuno ilustrar al auditorio con ninguna aclaración" ("Círculo de Bellas Artes. "Ensayos de teatro". **Heraldo de Madrid,** 2-enero-1927, p. 6). Por su parte, el citado crítico arriesga una interpretación personal de la elección valleinclaniana de **La comedia nueva** moratiniana, pues "viéndola representar se advierte en seguida que lo que sin duda tentó el espíritu de Valle-Inclán fue la coincidencia entre los apóstrofes y las quejas, las diatribas y las censuras que hoy deben y pueden dirigirse a quienes han prostituido el teatro y aquellas otras que contra los que lo prostituyeron en su tiempo escenificó en su obra el autor de **El café**" (**ob. cit**). Para la historia del grupo, además del artículo de Juan Aguilera Sastre, debe consultarse también el valioso estudio de Jean-Marie Lavaud, "El nuevo edificio del Círculo de Bellas Artes y "El Cántaro Roto", de Valle-Inclán" (**Segismundo,** 21-22, 1975, pp. 237-254). El grupo anunció, entre otras obras de su repertorio, la representación de **La cabeza del dragón,** de Valle-Inclán, que, sin embargo, no llegó a realizarse ("¿Un Teatro Escuela?", **ob. cit**).

(193) J. Aguilera Sastre, **ob. cit.**, p. 243. Acerca de El Cántaro Roto sostiene, a mi modo de ver con razón, que "no se trata de un grupo nuevo formado por Valle, sino que más bien asistimos a un cambio de denominación y de escenario de un grupo ya experimentado bajo la batuta de Rivas Cherif" (**ob. cit.**, p. 241), esto es, el grupo de El Mirlo Blanco.

La comedia nueva moratiniana (194). Valle-Inclán con El Cántaro Roto se compromete ahora en la lucha por una nueva escena española, objetivo por el que Rivas Cherif venía combatiendo desde inicios de la década con una constancia ejemplar y precisamente utilizando como bandera de renovación no la obra dramática de Moratín, claro está, sino la propia dramaturgia valleinclaniana. Pero de nuevo, como apuntaba el *Heraldo de Madrid*, otro fracaso más de una experiencia renovadora -en este caso propiamente "la rotura del cántaro" (195)-, motivada ahora por la fulminante ruptura de Valle-Inclán con Juan Fernández Rodríguez, presidente del Círculo de Bellas Artes, con el trasfondo de un contrato "con cláusulas leoninas" (196). Un corto y virulento epistolario entre ambos y una no menos breve y agria polémica en la prensa supusieron el final de El Cántaro Roto al mes escaso de vida. Con sus restos aún pudo acometer Rivas Cherif, pese al desgaste personal que la empresa de El Cántaro Roto le produjo (197), las últimas representaciones de El Mirlo

(194) Lavaud atribuye a Valle-Inclán, antes de su experiencia con El Cántaro Roto, "un grupo teatral, un repertorio y larga experiencia de director de escena" (**ob. cit.**, p. 245), cualidades que, sin duda, convienen mejor a Rivas Cherif que a don Ramón. Éste, en una entrevista con José Luis Salado a la que el propio Lavaud se refiere, afirmaba: "¿Cree usted que durante quince años no he ido más que una vez al teatro?" (apud **ob. cit.**, p. 250, nota 30), -vez en que vio **Nada menos que todo un hombre**, de Unamuno-, afirmación hiperbólica que sirve para resaltar, por contraste, la importancia cualitativa que el dramaturgo debía atribuir a su experiencia con El Cántaro Roto.

(195) Valle-Inclán explica las razones por las que El Cántaro Roto no va a estrenar el 1 de enero de 1927 **El hombre que casó con mujer muda**, de Anatole France, en "Pleito artístico. Por qué suspende su actuación la compañía del Cántaro Roto. Valle-Inclán contra el presidente del Círculo de Bellas Artes". **Heraldo de Madrid,** 1-enero-1927, p. 1.

(196) "Pleito artístico", **ob. cit.** El propio **Heraldo de Madrid** proporciona el 4 de enero de 1927 más información sobre el tema. Jean-Marie Lavaud ha estudiado minuciosamente esta polémica en **ob. cit.**, pp. 241-243.

(197) Azaña, en un fragmento de la carta escrita a Rivas Cherif el 30 de agosto, le aconseja dedicarse a nuevas actividades "para que tu actividad desenfrenada no se perdiese en empresas ingratas, como la del "Cántaro Roto" (**ob. cit.**, p. 639). Y, en carta fechada el 11

Blanco, la primera los días 26 y 27 de marzo de 1927 en Madrid (198) y, la segunda y última, durante el verano de aquel año 1927 en Irún (199).

6.4- El Caracol

El incansable Rivas Cherif, tras los sucesivos fracasos del Teatro de la Escuela Nueva, del non-nato Teatro de los Amigos de Valle-Inclán, de El Mirlo Blanco y de El Cántaro Roto, aún fundó durante los años veinte un nuevo teatro experimental, bautizado como El Caracol y cuya historia nos relata su propio director:

Fundé entonces mi cuarto teatro experimental, El Caracol (que luego vimos que era sigla de Compañía Renovadora del Arte Cómico Organizada Libremente), donde hice una pieza de Chejov, porque coincidía nuestro debut con el treinta aniversario del Teatro Artístico de Moscú, tres obras breves de Azorín, en que le hice actuar a él, que como sabe todo el mundo es tartamudo, el *Orfeo* de Cocteau, en que hice el protagonista, y una obra mía, que temían de escándalo, en cierto modo antecedente de *La Prisionera* y de los tés y otras simpatías de estos tiempos que se titulaba *Un sueño de la razón* y que voy a rehacer y completar con el título de *El pecado originalísimo* (200).

de septiembre, alude de nuevo irónicamente a que "cuando los afanes del "Cántaro roto", te pusiste tan delgadito que dabas lástima" (**ob. cit.**, p. 641).

(198) Los días 26 y 27 de marzo de 1927 El Mirlo Blanco estrenó un nuevo programa compuesto por dos obras de Ricardo Baroja, **El maleficio** y **El torneo**, más **El café chino**, del mexicano Villaseñor.

(199) A beneficio del hospital local, según precisa Aguilera Sastre (**ob. cit.**, pp. 244-245). En las cartas de Azaña hay una referencia en la del 19 de agosto de 1927 (**ob. cit.**, p. 637) y en la del 30 de agosto, ya en pasado: "¿Qué tal salió la **función**? (**ob. cit.**, p. 639).

(200) C. Rivas Cherif, "Memorias de un apuntador". **El Redondel**, México, 28-enero-1968. **Un sueño de la razón**, "drama único en forma de trío, sobre un tema de Goya. Primera parte de una trilogía satírica", ha sido editada por Enrique de Rivas en AAVV, **Cipriano de Rivas Cherif. Retrato de una utopía, ob. cit.**, pp. 61-99. El Teatro del "Ay Ay Ay",

El 24 de noviembre de 1928 se presentó El Caracol en la sala Rex de Madrid (201) con un programa compuesto por un entremés de Chejov, *Un duelo* (*El oso* en otras versiones), y *Doctor Death, de 3 a 5,* y *La arañita en el espejo,* obras ambas de Azorín. El mismo autor se dirigió a los espectadores con unas palabras previas en las que, según Díez-Canedo, "nombró Azorín a Benavente y a los Quintero, en quienes cifra la renovación llevada a cabo "espléndidamente, hondamente", después del neorromanticismo de Echegaray" (202). Lo que más sorprende en esta nueva aventura de Rivas Cherif es la clamorosa ausencia de Valle-Inclán en El Caracol, una ausencia relacionada sin duda con la frustración de El Cántaro Roto. Pero sorprende igualmente que sea Azorín -cuyo concepto personal del "surrealismo" no lo vinculaba en rigor al de la vanguardia sino a una añeja tradición de "poesía" teatral y para quien la renovación escénica española estaba nada menos que en manos de Benavente o los Quintero-, el autor elegido por Rivas Cherif como ejemplo de vanguardia teatral española. Díez-Canedo es muy contundente al valorar este supuesto "vanguardismo" teatral de Azorín: "¿Teatro nuevo? No. Conténtese con ser teatro serio, fino, interesante" (203).

dirigido por Maite Hernangómez, lo estrenó el 21 de diciembre de 1990 en el segoviano Teatro Juan Bravo, representación que Juan Aguilera Sastre reseñó en un crónica titulada "Reestreno histórico". **El Público**, 83, marzo-abril-1991, pp. 82- 83.

(201) Según Ian Gibson, biógrafo de García Lorca, Rex era el apellido del mecenas que cedió en condiciones ventajosas un sótano de la calle Mayor, 8, para las representaciones de El Caracol, pero también era una alusión a Repertorio de Experimentos Infinitos (**Federico García Lorca**. Barcelona, Ediciones Grijalbo, 1985, tomo I, p. 590).

(202) El artículo de Díez-Canedo, publicado por **El Sol** el 25 de noviembre de 1928, ha sido recopilado en **Artículos de crítica teatral, ob. cit.**, tomo IV, pp. 159-163. El texto citado puede leerse en la página 160.

(203) **Ob. cit.**, p. 162. Los actores mencionados por el crítico son Natividad Zaro, Magda Donato y los señores Felipe Lluch, Burgos y Eusebio de Gorbea. Díez-Canedo publica otra reseña de un nuevo programa de El Caracol, compuesto por **Dúo**, de Paulino Masip, **Si creerás tú que es por mi gusto**, de Benavente, y **Asclepigenia**, de Juan Valera, con palabras introductorias de Azaña, en **ob. cit.**, pp. 163-165.

Pero, en rigor, el estreno del *Orfeo* de Cocteau el 19 de diciembre de 1928 o el frustrado del *Amor de don Perlimplín con Belisa en su jardín*, dirigido por el propio García Lorca -un joven valor de la vanguardia teatral española de aquellos años veinte mucho más cualificado como surrealista que Azorín, como prueban sus versos de *Poeta en Nueva York* o sus obras dramáticas *Así que pasen cinco años* y *El público*- vinieron a dignificar desde una perspectiva vanguardista este nuevo intento de renovación escénica que El Caracol significó. Ian Gibson, biógrafo lorquiano, ha estudiado las circunstancias de la oscura prohibición de este estreno frustrado por la censura que, a su juicio, posee una inesperada implicación valleinclaniana. En efecto, el 6 de febrero de 1929 muere María Cristina, madre de Alfonso XIII, por lo que se aplaza el estreno de El Caracol, ya que, en señal de luto, cierran todos los teatros madrileños. La tarde del día 8, el mismo día en que se trasladaron sus restos mortales al monasterio de El Escorial, se ensaya de nuevo la obra bajo la dirección de Lorca, pero es nada menos que el propio general Marzo, jefe superior de policía de Madrid, quien acude personalmente desde El Escorial a la sala Rex para comunicarles la prohibición. Y aunque el propio Rivas Cherif escribe que "a punto ya de estrenar allí *Amor de don Perlimplín con Belisa en su jardín* nos fue prohibida y cerrado el teatro por la dictadura del general Primo de Rivera, inculpados de no haber guardado luto por la muerte de la reina madre de Alfonso XIII, doña María Cristina de Habsburgo-Lorena"(204), Gibson atribuye esa suspensión a las características de su propio repertorio: "primero por lo atrevido de *Un sueño de la razón* y ahora por el carácter escandaloso de la "aleluya erótica" de Lorca" (205). Lesbianismo y homosexualidad debieron parecer

(204) C. Rivas Cherif, "Poesía y drama del gran Federico. La muerte y la pasión de García Lorca". **Excelsior**, México, 27-enero- 1957, p. 3; apud I. Gibson, **ob. cit.**, tomo I, p. 591. El propio Gibson sostiene que **Un sueño de la razón**, "obra cuyo tema, extraordinariamente atrevido entonces, era la relación homosexual de dos mujeres" (**ob. cit.**, tomo I, p. 590), influyó también, sin duda, en la suspensión por la autoridad gubernativa del grupo.

(205) I. Gibson, **ob. cit.**, tomo I., p. 591. Además del **Amor de don Perlimplín** y de **Un sueño de la razón**, de Rivas Cherif, tampoco el **Orfeo** de Cocteau, en el que éste

a la censura primorriverista temas sin duda "escandalosos". Gibson añade que "las autoridades se llevaron, según parece, las tres copias mecanografiadas de la obra, cosidas y encuadernadas en cartulina amarilla, que encontraron en el teatro" (206), una de las cuales fue recuperada tres años después por Pura Ucelay de la Dirección General de Seguridad. En dicho ejemplar se había tachado el subtítulo de "aleluya erótica" y la acotación que describía a Perlimplín en la escena de la cama "con unos grandes cuernos dorados de ciervo en la cabeza". Es ahora cuando Gibson, que aduce el testimonio del propio Lorca (207), apunta hacia la dramaturgia valleinclaniana:

> Probablemente aquellos cuernos gustaban aún menos al censor por el hecho de que los llevaba un actor -Gorbea- que era teniente coronel del Ejército retirado. Ello suscitaría también, acaso, recuerdos del esperpento *Los cuernos de don Friolera*, de Valle-Inclán, obra publicada en 1925 pero irrepresentable bajo la dictadura de don Miguel Primo de Rivera (208).

interpretó al protagonista, debió agradar a la censura. Carlos Morla Lynch evoca su encuentro con Valle-Inclán a la salida de "una representación privada del **Orfeo**", ésta de El Caracol, en su libro **En España con Federico García Lorca (Páginas de un diario íntimo, 1928-1936)**. Madrid, Aguilar, 1958, segunda edición, p. 476., encuentro que nos confirma el interés con el que Valle-Inclán seguía la trayectoria escénica de Rivas Cherif, fundador y director del grupo.

(206) I. Gibson, **ob. cit.**, tomo I, p. 591. Sobre el tema puede consultarse la "Introducción" escrita por Margarita Ucelay a su edición del **Amor de Don Perlimplín con Belisa en su jardín.** Madrid, Cátedra, 1990, especialmente pp. 138-150.

(207) Según confesión de Lorca a Angel del Río, al enterarse Martínez Anido de que Perlimplín era encarnado por un actor que era militar retirado, mandó suspender la representación y amenazó con encarcelar a autor, actor y director de escena: "Esto es un ludibrio. Esto es un ultraje al ejército" (apud I. Gibson, **ob. cit.**, tomo I, p. 592).

(208) I. Gibson, **ob. cit.**, tomo I, p. 592.

Pero al margen de esta referencia anecdótica, repito que en El Caracol resalta la clamorosa ausencia de Valle-Inclán. Sin embargo, no por ello debe pensarse que la relación entre Rivas Cherif y el dramaturgo se hubiese enfriado aquel año. Un testimonio de Federico Navas, autor de un libro publicado ese año 1928, nos confirma la continuidad amistosa de esa relación. En la entrevista Valle-Inclán vuelve a expresar por enésima vez su desprecio acerca de la situación teatral española y alardea de no asistir a estrenos, actitud que el entrevistador matiza:

- Al cinematógrafo sí va usted. Y hasta a algún Salón de Varietés. Yo le vi, cierta solemnísima noche, en Maravillas, con Cipriano Rivas Cherif.

- Ciertamente: trabajaba Tórtola Valencia. ¿Y cómo no ir yo? Y a los Cinemas, ya lo creo que voy. Ése es el Teatro nuevo, moderno. La visualidad (209).

7.- Rivas Cherif, Valle-Inclán y Margarita Xirgu en 1930

Aunque Rivas Cherif aún sería director literario de la compañía de Irene López Heredia, en gira por Latinoamérica durante el año 1929 (210), y todavía tras su regreso a Madrid, ya en 1930, hizo lo

(209) Apud D. Dougherty, **Un Valle-Inclán olvidado**, ob. cit., p. 168. Valle-Inclán le dedicó a la bailarina Tórtola Valencia un soneto ("A Tórtola"), reproducido en su versión original autógrafa por José Amor y Vázquez en su artículo "Valle-Inclán y las musas: Terpsícore" (en A.A.V.V., **Homenaje a William Fichter**, edición de A. David Kossoff y José Amor y Vázquez. Madrid, Castalia, 1971, pp. 11-31).

(210) "Irene López Heredia, que se había separado de su compañero de siempre Ernesto Vilches, me invitó a ser director literario de su compañía, para Buenos Aires, aquel año del 29 (...) La López Heredia debutó en el Maipo, donde hicimos brillantísima temporada" ("Memorias de un apuntador", **El Redondel,** México, 28-enero- 1968).

propio con Isabel Barrón, la dama joven de la compañía López Heredia (211), su definitivo encuentro con Margarita Xirgu iba a resultar decisivo para orientar toda su actividad escénica a partir del año 1930 nada menos que en el Teatro Español de Madrid, en donde desarrolló una espléndida labor que él mismo resume en sus "Memorias de un apuntador":

Asociado con Margarita Xirgu, y después con ella y Enrique Borrás, dirigí el Teatro Español, sin interrupción, de 1930 a 1935. Renovamos los clásicos, acabamos los modernos y dimos entrada a Valle-Inclán, Federico García Lorca, Alejandro Casona y el solo drama perfecto en la historia de la literatura dramática castellana: *La Corona*, de Manuel Azaña. Culminó nuestra empresa en las representaciones de la *Medea*, de Séneca, traducida por Unamuno, y con música de Gluck en el Teatro Romano de Mérida (la antigua Emérita Augusta). Nuestras representaciones al aire libre en Madrid, en la Alhambra, en Salamanca, en el Teatro Griego de Barcelona, en el pueblo de Fuenteovejuna, con la obra de Lope que lo ha heco famoso, hicieron época.

Al mismo tiempo, dirigí la primera temporada del Teatro Lírico Nacional, fui subdirector del Conservatorio, en sustitución de Benavente, cargo (del) que dimití por razones puramente artísticas para fundar "La Tea", compañía del Teatro-Escuela de Arte en el de María Guerrero, hoy sede del Teatro Nacional, incluso con la misma sastrería que yo formé y con el mismo escenógrafo, principiante entonces (212).

(211) "Ya en Madrid formé compañía con la dama joven de la López Heredia, Isabel Barrón, y representamos en el Español de Madrid, que me cedió Díaz de Mendoza, ya viudo de doña María Guerrero" (**ob. cit.**). El propio Rivas Cherif precisa en otro texto que en junio de 1930, "con ocasión de mis representaciones en Barcelona dirigiendo la compañía de la joven actriz Isabel Barrón, reanudé mi amistosa relación con Margarita Xirgu, de que se originó para el otoño aquel, mi contrato como director del Español de Madrid" (**Retrato, ob, cit.**, p. 157).

(212) **El Redondel**, México, 28-enero-1968.

La relación entre la Xirgu y Rivas Cherif ya era fluida y cordial mucho antes de 1930. El propio director se ha referido a ella en otro fragmento de sus "Memorias": "Margarita Xirgu me llamó el año 28 -yo era asiduo a su camerino en el Teatro Fontalba-, para que le diera mi adaptación de la *Pepita Jiménez*, de don Juan Valera" (213). Tanto Rivas Cherif como su inseparable amigo Manuel Azaña acudieron también en el otoño de ese mismo año 1928 a la lectura de la *Mariana Pineda* en el mismo Teatro Fontalba, invitados por el propio García Lorca, con quien mantenían contacto al menos desde 1921, cuando le publicaron algunos poemas en la revista *La Pluma* (214). Por todo ello las relaciones entre

(213) **ob. cit.**

(214) "Federico García Lorca había estrenado la temporada anterior **Mariana Pineda**. Nos había invitado a la lectura a Azaña y a mí, y desde entonces intimamos más de lo que lo éramos de nuestro primer conocimiento por carta cuando le publicamos los primeros versos en "La Pluma" (**ob. cit.**). En abril de 1927 Lorca escribió una carta a Melchor Fernández Almagro, en donde se refiere a Rivas Cherif con amistosa confianza:

"Melchorito: Ven esta tarde a las tres **en punto** al **Savoja** para ir de allí con Cipriano y el imponente señor Azaña a la lectura de Mariana en el Fontarba (sic). Dice Cipriano que me conviene muchísimo que vengas. ¿Vendrás? Hasta ahora.

Abrazos de

Federico"

(apud I. Gibson, **ob. cit.**, tomo I, p. 472). El propio Rivas Cherif le comunicó epistolarmente a Lorca, el 13 de febrero de 1927, la decisión de la Xirgu de estrenarle en el Fontalba la **Mariana Pineda**: "¡Cómo te van a destrozar los versos de **Mariana**! Porque los dice de una manera bárbara y catalana; pero lo cierto es que hace algunas escenas, las mudas y cachondas, **por manera excelente** (...) Y claro que a la Xirgu le ha parecido bien la comedia, porque si no no la hubiera hecho..." (apud **ob. cit.**, pp. 468-469). Lorca, como Valle-Inclán, debió sentir respeto y aprecio por la competencia escénica y labor renovadora de Rivas Cherif, como prueba la lectura de otra carta anterior, escrita por el propio Federico a Fernández Almagro durante el verano de 1924, en la que le insta a leer "a Cipriano, el simpático y culto comediógrafo", el reparto de **La zapatera prodigiosa**, cuyo primer acto acababa de escribir" (apud **ob. cit.**, p. 389). Por último, los poemas juveniles de

Rivas Cherif, Azaña, García Lorca y la Xirgu eran de amistosa colaboración y no resultaban en absoluto problemáticas. Sin embargo, no puede decirse lo mismo de la larga y polémica relación que mantuvieron Valle-Inclán y la actriz catalana. Recordemos la prohibición del dramaturgo de que su obra *El yermo de las almas,* estrenada el 7 de enero de 1915 en el Teatro Principal de Barcelona (215), la estrenase la Xirgu a continuación en Madrid. A título de ejemplo más próximo a 1930, baste mencionar el llamado "grito del Fontalba" que el dramaturgo profirió contra la representación de *El hijo del diablo,* drama en verso de Joaquín Montaner estrenado por la compañía de Margarita Xirgu en el Teatro Fontalba el 27 de octubre de 1927, tres meses después de que la Dirección General de Seguridad secuestrase la edición del esperpento valleinclaniano de *La hija del capitán* (216). Por entonces el escritor ya era

Lorca publicados por **La Pluma** fueron tres: "Veleta", "Sólo tu corazón caliente" y "Mi corazón reposa junto a la fuente fría", que vieron la luz en el número 8 de la revista (enero de 1921, pp. 49-53).

(215) Antonina Rodrigo, autora de una biografía sobre **Margarita Xirgu y su teatro** (Barcelona, Planeta, 1974), asegura que Valle-Inclán "le ofreció el estreno de **El yermo de las almas** (ob. cit., p. 102) a la actriz, estreno que tuvo lugar el 7 de enero de 1915 en el Teatro Principal de Barcelona y que fue recibido por el público con frialdad. El incidente entre dramaturgo y actriz surgió al programar la Xirgu su estreno en el Teatro de la Princesa madrileño para la temporada de 1916: "Cuando se enteró Valle-Inclán de su inminente estreno en la capital del reino, escribió a la actriz comunicándole su decisión de retirarle la obra, sin darle la menor explicación. La Xirgu jamás conoció el motivo de aquella extraña resolución del autor de los Esperpentos" (A. Rodrigo, **ob. cit.**, p. 100). En la decisión de Valle-Inclán debieron confluir varios motivos: su voluntad de no estrenar en Madrid debido al escaso éxito barcelonés, o acaso su desacuerdo con la puesta en escena o la interpretación, muy probablemente la razón para la Xirgu de esa decisión del dramaturgo. Antonina Rodrigo ha incidido en el tema en "Don Ramón del Valle-Inclán y Margarita Xirgu", en AAVV, **Valle-Inclán. Homenaje del Ateneo de Madrid**. Madrid, Ateneo de Madrid, 1991, pp. 287-305.

(216) Francisco Madrid relata minuciosamente el incidente, por él llamado "grito del Fontalba", en su biografía titulada **La vida altiva de Valle-Inclán** (Buenos Aires, Editorial

un detractor público de la dictadura primorriverista, hasta el punto de que el propio general llegaría a calificarle dos años después, en una de sus célebres "Notas oficiosas", como un "eximio escritor y extravagante ciudadano" (217). Pues bien, esa protesta airada del dramaturgo en el estreno que comentamos es interpretada de manera injusta y desafortunada por Antonina Rodrigo, biógrafa de Margarita Xirgu:

Poseidón, 1943, pp. 363- 369). Allí evoca a Rivas Cherif como "amigable componedor" entre el comisario de policía y el detenido, acusado de desacato a la autoridad, juicio oral que se realizó el 2 de febrero de 1928 y en donde Valle-Inclán fue condenado al pago de una multa gubernativa. En unas declaraciones a la prensa, Montaner acusaba al dramaturgo de querer ser "un Júpiter de guardarropía. Se ha subido en los zancos de su reputación para que la gente lo admire (...) Yo le admiro y le respeto, se lo digo a usted sinceramente, y lamento verlo metido en empresas tan mezquinas, propias de un mozalbete irreflexivo" (Julio Romano, "Joaquín Montaner habla del movimiento literario en Cataluña". **La Esfera**, núm. 724, 19- noviembre-1927, p. 11; apud D. Dougherty, **ob. cit.**, p. 172, nota 216). Sobre la censura de **La hija del capitán** puede leerse mi **Guía de lectura de Martes de carnaval** (Barcelona, Editorial Anthropos-Taller d'Investigacions Valleinclanianes del Departament de Filologia Espanyola de la Universitat Autònoma de Barcelona, número 1 de la colección Maese Lotario, 1992, especialmente pp. 151-154).

(217) Un nuevo incidente protagonizado por el dramaturgo en el Palacio de la Música fue la causa de que, al negarse a pagar la multa de 250 pesetas, ingresase entre el 10 y el 25 de abril de 1929 en la Cárcel Modelo madrileña, motivo que provocó la escritura de la célebre "Nota oficiosa" de Primo de Rivera que transcribe Fernández Almagro (**ob. cit.**, p. 209). Sobre la oposición de Valle-Inclán al Directorio Militar pueden leerse las páginas, excesivamente superficiales, que le dedica Genoveva García Queipo de Llano en **Los intelectuales y la dictadura de Primo de Rivera** (Madrid, Alianza, colección Alianza Universidad, 1987, pp. 378-393).

La animosidad de Valle-Inclán no iba dirigida contra Margarita, ni contra el poeta Montaner, que como tal no merecía tan desdeñosa actitud, sino hacia el Montaner burócrata, secretario del Comité organizador de la Exposición Universal de Barcelona, que, según la "vox populi", había sobornado a la crítica teatral madrileña. El dramaturgo catalán era el "árbitro de las gratificaciones de mil o dos mil pesetas", destinadas a la propaganda de la Exposición, que percibieron muchos escritores.

Parece que el motivo que provocó el incidente fue el estar excluido de esas nóminas el gran escritor gallego, el cual atravesaba una época poco boyante (218).

No era novedad en Valle-Inclán esa penuria económica, crónica y permanente en su caso hasta la muerte. Pero sabemos que siempre prefirió el hambre a la prostitución artística y que mantuvo esa actitud de dignidad con un soberbio orgullo que bien podría llamarse valleinclanesco. Por ello la mezquindad atribuida por Antonina Rodrigo al dramaturgo es sólo una posibilidad remota -recordemos que Valle-Inclán no fue un santo y que Max Estrella acepta en *Luces de bohemia* el soborno del Ministro para destruir con esa acción pocas horas antes de morir su "santidad" de bohemio heroico-, pero más plausible nos parece atribuir su protesta tanto a la calidad dramática de la obra cuanto a la de la propia representación, además de, claro está, a la significación política del mismo Montaner. Francisco Madrid, biógrafo de Valle-Inclán, relata que cuando se preguntó al dramaturgo si su "grito" era contra la interpretación de

(218) A. Rodrigo, **ob. cit.**, p. 150. Según la biógrafa de Margarita Xirgu, Valle-Inclán ya había protestado ruidosamente contra la **Mariana Pineda** de García Lorca ("Ezto es una crónica de Corrochano"), estrenada por la actriz en el mismo Teatro Fontalba el 12 de octubre de 1927, un estreno, por tanto, inmediatamente anterior al de Montaner (**ob. cit.**, p. 146). No he encontrado ningún otro testimonio de esta protesta de Valle-Inclán contra Lorca, dramaturgo del que, como veremos a continuación, reconoció públicamente su talento e imaginación teatrales.

Margarita Xirgu, contra la obra de Montaner o contra los aplausos excesivos de la "claque", él respondió que "contra todo. Porque todo era allí desastroso" (219). Por su parte la actriz, según el catalán Domènec Guansé, otro de sus biógrafos, opinaba que la obra de Montaner "al público le gustaba y si fracasó fue a causa de las intemperancias de Valle-Inclán" (220). En cualquier caso, "el grito del Fontalba" viene a expresar gráficamente en 1927 las distancias entre actriz y dramaturgo, coherente éste por otra parte con su desprecio militante del teatro comercial, tal y como declara con concisa contundencia a Enrique Fajardo, director del periódico madrileño *La Voz*, en una carta fechada el 20 de mayo de ese mismo año de 1927 y que conviene leer con la memoria de la experiencia frustrada de El Cántaro Roto como telón de fondo:

Señor D. Enrique Fajardo

Mi querido amigo: Me pide usted que tome parte en la encuesta de *La Voz* y lo haría con la mejor voluntad si fuese autor dramático. Sin duda me ha colocado usted en ese número por haber escrito algunas obras en diálogo. Pero observe usted que las he publicado siempre con acotaciones que bastasen a explicarlas por la lectura, sin intervención de histriones. Si alguna de estas obras ha sido representada, yo he dado al caso tan poca importancia, que en ningún momento he creído que debía hacer memoria del lamentable accidente, recordando en la edición el reparto de personajes y la fecha de la ejecución. Me declaro, pues, completamente ajeno al teatro y a sus afanes, sus medros y sus glorias. Le estrecha la mano

Valle-Inclán (221).

(219) F. Madrid, **ob. cit.**, p. 365.

(220) D. Guansé, "Toda una vida", en A.A.V.V., **Margarita Xirgu. Crónica de una pasión**, monográfico publicado por la revista **El Público** en su colección de **Cuadernos de El Público** (núm. 36, octubre de 1988, p. 56). Josep Maria Balcells ha transcrito tres cartas inéditas de la actriz a Montaner en "Una altra Xirgu, tant si us plau com si no us plau". **El País**, Barcelona, 9-diciembre- 1984, "Quadern de cultura", pp. 1-2.

(221) Apud J. A. Hormigón, **ob. cit.**, pp. 575-576.

Pero en 1930 era evidente un cambio irreversible de la coyuntura política, que iba a posibilitar el acceso de la dramaturgia valleinclaniana a la escena española, y ello pese a esa actitud agresiva de Valle-Inclán contra el estreno, un hecho al que -lo acabamos de ver-, califica en su carta de 1927 como un "lamentable accidente" o, aún más gráficamente, como el de "la fecha de la ejecución" de una obra dramática. Rivas Cherif, que siempre consideraría la dramaturgia valleinclaniana como símbolo de la renovación escénica, necesitaba en 1930 reconciliar al dramaturgo con la actriz, sobre todo por las perspectivas profesionales que le abría su incorporación a la compañía de Margarita Xirgu, arrendataria entonces del Teatro Español de Madrid. Las condiciones de dignidad escénica que Valle-Inclán reconocía en un hombre de teatro como Rivas Cherif y las nuevas condiciones de dignidad política que la proclamación de la II República supuso, debieron pesar sin duda en la también nueva actitud posibilista del dramaturgo, más proclive a partir de 1930 al estreno de sus obras. En rigor, tres van a ser los estrenos valleinclanianos durante el período republicano: *Farsa y licencia de la Reina castiza* (3 de junio de 1931), *El embrujado* (11 de noviembre de ese mismo 1931), -montajes ambos de la compañía de Irene López Heredia, que Rivas Cherif había dirigido durante 1929-, más *Divinas palabras,* estrenada el 16 de noviembre de 1933 en el Teatro Español de Madrid por la compañía de Margarita Xirgu, con dirección de Cipriano de Rivas Cherif y decorados de Castelao. *Divinas palabras* fue el estreno con el que la larga y fecunda relación entre Rivas Cherif y Valle-Inclán, decisiva a mi modo de ver para la suerte de la renovación escénica española durante la década de los años veinte, iba a alcanzar su apogeo escénico. Pero no adelantemos acontecimientos, porque en 1930 aún era urgente y necesaria para Rivas Cherif la reconciliación entre dramaturgo y actriz.

El definitivo reencuentro en 1930 entre Rivas Cherif y Margarita Xirgu resultó determinante para la trayectoria escénica de ambos y les abrió un período apasionante de trabajo teatral común. Sin embargo, el trabajo específico de Rivas Cherif, por los testimonios leídos, no se redujo únicamente a la condición oficial de "director literario", sino que se aproxima mejor a lo que hoy entendemos por un "director de escena". Pero los interrogantes que se nos plantean a partir de aquí resultan difíciles de responder con los datos que poseemos acerca de la función real del director escénico en el teatro español de la época: ¿Fue Rivas Cherif sólo un asesor literario o un verdadero director, es decir, re-creador y responsable máximo de la puesta en escena? ¿Estaba su criterio artístico sometido al de la primera actriz o a la inversa? ¿Dirigía en verdad la interpretación de Margarita Xirgu o ésta sólo le consultaba con criterio orientativo, pero en modo alguno decisorio? ¿Se ocupaba de los diversos elementos (escenografía, vestuario, iluminación) de la puesta en escena o éstos eran competencia exclusiva de la actriz? En cualquier caso, Domènec Guansé atribuye a Margarita Xirgu estas palabras, en las que reconoce el talento escénico y la sensibilidad artística de Rivas Cherif:

> Para mí era un auxiliar de mucho mérito, cuando se acordaba un proyecto trabajaba infatigablemente para realizarlo. Tenía el acierto de descubrir siempre los elementos necesarios. A veces nos preguntábamos dónde encontrar la melodía apropiada para ilustrar tal pasaje o tal otro... Al día siguiente, Rivas Cherif comparecía con la partitura conveniente. Faltaba una bailarina. Ninguna actriz de la compañía sabía bailar. Rivas Cherif no tardaba en presentarnos a la artista más adecuada. Todo lo resolvía. Su propia falta de especialidad contribuía a su agilidad mental. Tenía un gusto infalible. Mientras ensayábamos le pedía que mirase lo que hacíamos desde la platea y él obedecía y anotaba los aciertos y después nos decía qué era lo que le parecía bueno. Lo repetíamos y fijábamos las actitudes que sin su consejo hubiesen pasado inadvertidas. A mí, su opinión me daba una confianza absoluta (222).

---

(222) Apud D. Guansé, **ob. cit.**, p. 55. Guansé data el conocimiento entre Rivas Cherif y la Xirgu a la época en que la actriz "todavía trabajaba en el Teatro Principal de Barcelona" (**ob. cit.**, p. 55), mientras Antonina Rodrigo cree que fue en 1910, año en que Rivas Cherif se embarcó en Barcelona para cursar su doctorado en Bolonia (**ob. cit.**, p. 167).

No cabe duda, leído atentamente este testimonio de Margarita Xirgu, de que su teórico "auxiliar" funcionaba en la práctica como un verdadero director de escena, no porque su figura estuviese ya instituída en el teatro de la época -la autoridad nominal sin duda era la de la primera actriz de la compañía, adviértase que ella "le pedía" y "él obedecía"-, sino por la competencia profesional de Rivas Cherif, que resolvía problemas escénicos de música o baile y que, por indicación expresa de la actriz, contemplaba desde la platea el ensayo y decidía con "un gusto infalible", que la actriz respetaba debido a que "su opinión me daba una confianza absoluta". Y ese respeto de la Xirgu por la competencia escénica de Rivas Cherif es obvio que venía de lejos y que se fraguó en el Madrid de los años veinte, vinculado a su común impulso de renovar y dignificar el teatro español (223). Rivas Cherif, por tanto, era la persona idónea para reconciliar a Valle-Inclán con Margarita Xirgu, aunque la pasión teatral de ésta, a diferencia de la de Rivas Cherif por Valle-Inclán, fue siempre una pasión particular por la dramaturgia de Federico García Lorca.

En efecto, el 14 de noviembre de 1930, en la sección "La vida escénica" del diario madrileño *La Libertad*, que recogía los "ecos, noticias y comentarios del día" del mundillo teatral, puede leerse la siguiente información:

(223) "Es determinante su encuentro con Cipriano Rivas Cherif, el gran samaritano de la vanguardia teatral de los años 20-30. Con Rivas, la actriz colaboró desde 1928 a 1935. En él encuentra la Xirgu al mentor y amigo, al colaborador estrecho y al cómplice en su empeño de renovación de la escena española" (Angel García Pintado, "El compromiso", en A.A.V.V., **Margarita Xirgu, crónica de una pasión, ob. cit.**, p. 15).

> Parece ser que el admirable autor de *Cuento de abril*
> -y de ello da fe un periodista tan avispado como Luis Calvo- ha
> sellado de nuevo las paces con Margarita Xirgu por el conducto
> de otro literato de mucha enjundia, que a la hora de ahora asesora
> en sus menesteres directivos de la escena en el Español a la actriz
> catalana. Claro está que nos referimos al gran zurcidor -en el mejor
> sentido- Cipriano Rivas Cherif (224).

Luis Calvo, crítico teatral de *ABC*, era amigo de Rivas Cherif (225). El día anterior el citado Luis Calvo, en un comentario sin firma y entre otras noticias relativas a la dramaturgia de Valle-Inclán, informaba a sus lectores sobre la posibilidad del estreno por la Xirgu de *Divinas palabras*:

> Sabemos que D. Ramón ha prometido al Sr. Rivas
> Cherif, asesor literario del Español, y para Margarita Xirgu, una
> refundición -ineludible, dadas sus dimensiones voluminosas en libro-
> de su magnífica tragedia (sic) *Divinas palabras* (226).

(224) "La vida escénica. Ecos, noticias y comentarios del día". **La Libertad,** 14-noviembre-1930, p. 9.

(225) En agosto de 1928 Lorca le escribe a Rivas Cherif para que, por su mediación, se intente la publicación en las páginas de huecograbado de **ABC** de una cabeza suya en escayola realizada por el escultor Emilio Aladrén, el amor de Lorca en ese momento. La carta acaba con un halago para su destinatario: "Muchísimos recuerdos de mi familia, que dice eres simpatiquísimo. "Es un hombre de talento que sabe ir por la vida", ha dicho mi padre" (apud I. Gibson, **ob. cit.**, p. 562). En su carta de respuesta, fechada el 28 de agosto, Rivas Cherif no disimula su malestar ante la índole de la petición: "No están en Madrid Juan Ignacio Luca de Tena ni Luis Calvo, únicas gentes de **ABC** con quien tengo relación para la gestión que me pides; pero sospecho desde luego que no querrán" (apud **ob. cit.**, p. 562).

(226) "Don Ramón del Valle-Inclán en el teatro". **ABC**, 13- noviembre-1930, p. 10. Otras posibilidades de estreno, según Luis Calvo, eran **Los cuernos de don Friolera** por Juan Bonafé en el Teatro Alkázar y una escenificación de la novela **Tirano Banderas** a cargo de

Esta información de *ABC* sobre posibles estrenos valleinclanianos mereció una fulminante respuesta del dramaturgo en forma de carta al director. Valle-Inclán, en relación con *Divinas palabras*, se limitó a puntualizar lo siguiente:

> Y finalmente: Rivas Cherif me habló de poner en escena *Divinas palabras*. Hace bastantes años que publiqué esta tragicomedia, y, naturalmente, apenas me acuerdo de lo que en ella pasa. Sin duda, está fuera de proporción para ser llevada a un escenario. En todo caso, haría falta un refundidor (227).

La amistad entre Rivas Cherif y el periodista Luis Calvo posibilitó la filtración de otra noticia que vinculaba de nuevo a Valle-Inclán y a Rivas Cherif -su más apasionado y práctico admirador teatral-, en un proyecto común: nada menos que un nuevo esperpento, titulado *Los pitillos de Su Majestad*, prometido por el dramaturgo al director para el Teatro Pinocho de Salvador Bartolozzi y Magda Donato, un esperpento que, por desgracia, nunca llegó a escribir:

Enrique Suárez de Deza y Fernando Mignoni, proyecto del que el periódico ya había informado una semana antes ("Sobremesa y alivio de caminantes". **ABC**, 6-noviembre-1930, p. 10). En el Congreso aludido en la nota 109, Claudia Ortego, en nombre de nuestro Taller, presentará una comunicación colectiva sobre "Versiones teatrales de Tirano Banderas"

(227) "Valle-Inclán en el teatro". **ABC**, 14-noviembre-1930, pp. 38-39. El citado crítico, Luis Calvo, al comentar la carta transcrita por Valle-Inclán, concluye: "De cualquier modo, es indudable que en el mundo de bastidores adentro soplan vientos muy favorables a su copiosa producción dramática, y que Valle-Inclán no es un obstáculo, como lo fue algún tiempo, para el estreno eventual de algunas de sus comedias" (**ob. cit.**).

Salvador Bartolozzi ha asociado a la Empresa artística de su "Teatro Pinocho" a Rivas Cherif, quien no por ello abandonará, claro es, su asesoría literaria al lado de Margarita Xirgu. El "Teatro Pinocho" seguirá divirtiendo al pequeño gran público que en la Comedia le dispensó antaño tan favorable acogida. Ahora bien, a ruego de muchas personas mayores, de ánimo infantil, añadirá de cuando en cuando a sus espectáculos alguna sesión de carácter especial. Es decir, reservará a "los grandes" representaciones guiñolescas de obras antiguas y modernas impropias para niños de verdad. Sabedor Rivas Cherif de que Don Ramón del Valle-Inclán se dispone a escribir un nuevo esperpento para fantoches, ha solicitado sus primicias para el "Teatro Pinocho" en esa modalidad especial. Valle-Inclán ha dado ya el título de su nueva obra: *Los pitillos de Su Majestad* (228).

A finales de ese año 1930 la prensa, interesada por la posibilidad de que su dramaturgia acceda ahora a los escenarios, acosa a Valle-Inclán. Tras la lectura por parte de Rivas Cherif de la *Farsa y licencia de la Reina castiza*, acto realizado el 2 de diciembre de 1930 en el Ateneo madrileño y que ya antes comentamos, el dramaturgo es entrevistado por un periodista de *La Libertad:*

- Después de la lectura de Rivas Cherif, ¿no se decide usted a estrenar ninguna de sus obras?

- He dicho lo suficiente en una carta que rueda todavía por los periódicos. No renuncio a estrenar; pero no estreno. Quiero libertad para lo que escribo. Y en estos malos tiempos que estamos viviendo... (229).

(228) Un traspunte, "Sobremesa y alivio de comediantes". **ABC**, 27- noviembre-1930, p. 11.

(229) Antonio de la Villa, "La vida escénica. Ecos, noticias y comentarios del día". **La Libertad**, 10-diciembre-1930, p. 9.

8.- La actividad escénica de Rivas Cherif y Valle-Inclán durante la II República

Las nuevas condiciones de dignidad política que la proclamación de la Segunda República vino a implicar, determinaron una nueva actitud posibilista de Valle-Inclán ante el estreno de su dramaturgia. El 14 de abril de 1931 trajo aquella libertad deseada por el autor y éste volvió de nuevo a la acción política y escénica, aunque sea esta última la que ahora nos interesa específicamente. A inicios de mayo de 1931 el dramaturgo leyó en el escenario del teatro Victoria -de cuyo nombre se había suprimido el título monárquico de "Reina"- la *Farsa y licencia de la Reina castiza* a la compañía de Irene López Heredia y Mariano Asquerino, quienes la estrenaron, como antes vimos, el 3 de junio. De nuevo la misma compañía estrenó el 11 de noviembre su tragedia *El embrujado.* El protagonismo de Valle-Inclán en los ensayos nos hace sospechar cuanto de revancha personal y de empecinamiento orgulloso significaba para el dramaturgo, tras aquel polémico y frustrado estreno de 1913 (230), la actual puesta en escena de su "tragedia":

Casi todos los días Don Ramón del Valle-Inclán dirige en el Muñoz Seca los ensayos de su drama *El embrujado.* Es un magnífico director. Benévolo, ingenioso, alegre y ocurrente. Da consejos; coloca a las figuras; entona, con su cálida e insinuante voz, a los actores, y recita, con distintos acentos, las armoniosas elocuciones gallegas (231).

(230) Sobre el enfrentamiento entre Valle-Inclán y Galdós, a la sazón director artístico del Teatro Español de Madrid, pueden leerse los trabajos de Arturo Ramoneda Salas, ("Valle-Inclán: un estreno frustrado". **Ínsula**, 433, diciembre de 1982, p. 1 y 12-13; 434, enero de 1983, pp. 3-4) y el de Carmen Menéndez Onrubia y Julián Avila Arellano ("Teatro Español. Siete meses de lucha por el arte. Homenaje a los clásicos. En torno a un texto desconocido de Benito Pérez Galdós". **Revista de Literatura**, 99, enero-junio de 1988, pp. 171-204), en donde reeditan y anotan una especie de Memoria de la temporada teatral del madrileño Teatro Español, publicada por **El Liberal** el 9 de junio de 1913 y que arroja nueva luz sobre aquel frustrado estreno de **El embrujado** valleinclaniano.

(231) "El embrujado", de Valle-Inclán". **ABC**, 5-noviembre-1931, p. 15. Javier Serrano

La propia actriz Irene López Heredia atestiguaba entonces esta
información al asegurar que "Don Ramón nos ha ayudado mucho. Con
una benevolencia, un cariño y una maestría insuperables. Es un director
inigualado" (232), opinión que, tras la muerte del dramaturgo, matizaría
sin embargo para, probablemente, aproximarse más a la verdadera
realidad: "Él mismo dirigió los ensayos. No era un director fácil, ni
muchísimo menos. Más bien brusco y agrio, cosa perfectamente
disculpable en un hombre que vivía en exaltación continua. Los actores
-dicho sea con el máximo respeto- le temíamos. Le temíamos y lo
admirábamos" (233).

Las relaciones entre Valle-Inclán y el Gobierno
republicano nunca fueron fáciles. Azaña, con fecha 22 de agosto de 1931,
anotó en sus *Memorias* las difíciles circunstancias económicas porque
atravesaba, tras la quiebra de la C.I.A.P., el frustrado candidato
lerrouxista:

> También en el viaje le he encargado a Guzmán
> que haga una gestión diplomática cerca de Valle-Inclán. Valle está
> muy apurado por la suspensión de pagos de la C.I.A.P., que le
> pagaba tres mil pesetas mensuales. Ha pensado irse a América, y ya
> tiene pasaporte y pasaje. En el Consejo de esta tarde, he dado
> cuenta del caso, y he opinado que no podía consentirse que Valle
> se fuese a mendigar por América, con el decoroso pretexto de dar
> conferencias. Todos han asentido. Discurriendo lo que se podría
> hacer por él, y convencidos todos de que, por su carácter, es
> peligroso darle un cargo de responsabilidad, he propuesto que se
> invente uno: el de Conservador General del Patrimonio Artístico
> en España, con veinticinco mil pesetas de gratificación, y que se
> provea en Valle. Conformes todos, querían extender el decreto al

Alonso ha estudiado "La recepción del teatro de Valle-Inclán: los estrenos de 1931", en
AAVV, **El teatro en España, entre la tradición y la vanguardia, ob. cit.**, pp. 345- 360.

(232) **Ob. cit.**

(233) **Ahora,** 7-enero-1936, p. 9; apud D. Dougherty, **ob. cit.**, p. 217, nota 261.

momento; pero yo les he dicho que esperen, hasta tener la certidumbre de que Valle aceptará, porque si el decreto sale sin esta seguridad, don Ramón se daría el gusto de rehusar, y además insultaría al Gobierno (234).

Azaña demuestra conocer bien la condición "estrafalaria" de Valle-Inclán, su sentido extremo de la dignidad -con frecuencia confundida con un orgullo soberbio-, que le convierte en un personaje público de la República, pero, también y a la vez, en un peligro potencial para su prestigio. Y está claro que Azaña quiso tener desde 1931 una relación lo más relajada posible con "el fenómeno" y ahorrarse así, como le sucedió a Primo de Rivera, cualquier tipo de escándalo con aquel "eximio escritor y extravagante ciudadano" cuya biografía va a ser, también durante los años treinta, un permanente ejercicio de teatralidad en la interpretación del personaje público Valle-Inclán. Sin embargo, en un fragmento cuatro días posterior, Azaña ya consigna los primeros problemas planteados al Gobierno por el escritor:

> Casi toda la tarde la empleo en zurcir voluntades: Valle-Inclán se ha enfadado después de conversar con el director de Bellas Artes (Orueta), que ha tenido la falta de tacto de decirle que su gran cargo de conservador general, etcétera, lleva como obligación principal la de escribir monografías. "Eso se da a los escritores fracasados". Se fue dando gritos, diciendo que no es él un mendigo de la República, etcétera.

> Llevo a Valle a conversar con el ministro de Instrucción Pública y todo se arregla. Quedará encargado de organizar en el Palacio real el Museo de la República. Valle lo describe como si estuviera viéndolo (235).

(234) M. Azaña, **Obras completas**, tomo IV, **ob. cit.**, pp. 99-100.

(235) **Ob. cit.**, p. 104. En una anotación anterior, correspondiente al 24 de agosto, Azaña escribe: "Valle ha venido a decirme que acepta el cargo que le he propuesto, "si yo no creo que eso suscitará dificultades ni protestas". Hemos estado de conversación casi dos horas,

Pero este justo recelo de Azaña ante el estrafalario "fenómeno" no era óbice para que reconociese, ya desde los años de la revista *La Pluma*, su talento creador. Por ello no debe sorprendernos en absoluto que Azaña y Rivas Cherif se indignasen ante la vergonzante actitud de la Real Academia, que declaró desierto en 1932 el Premio Fastenrath contra una opinión pública que consideraba a Valle-Inclán como justo ganador por su novela *Tirano Banderas*. A propósito del premio, Rivas Cherif escribió un artículo en el diario *El Sol*, en donde interpretaba como un agravio político contra la República la decisión de la *Real* Academia:

> ...Los señores académicos han acordado declarar desierto el premio Fastenrath, que la opinión unánime daba por descontado para Valle-Inclán. ¿Por qué? Porque, aparte los indudables méritos literarios de una minoría entre los académicos, los demás están allí con una representación social en franca rebeldía contra las instituciones republicanas y sus hombres representativos (236).

---

haciéndome perder un tiempo precioso. Política, arte, planes que piensa desarrollar, etcétera, etcétera". Y Azaña comenta con una lucidez profética: "Todo ello concluirá probablemente en una dimisión ruidosa" (**ob. cit.**, p. 101). Azaña conocía bien la teatralidad del "personaje" Valle-Inclán, -del "fenómeno", como hemos visto que llamaba al escritor en su correspondencia con Rivas Cherif-, y sabía su condición de hombre público conflictivo y contradictorio, por el que siempre sintió desconfianza. Sin embargo, admirador siempre de su talento creador, propuso entonces al Consejo de Ministros su nombramiento con un sueldo elevado, al que se opuso con tibios reparos Marcelino Domingo, Ministro de Instrucción Pública y Bellas Artes, según anota Azaña con fecha 25 de agosto (**ob. cit.**, p. 102).

(236) Apud D. Dougherty, **ob. cit**, pp. 229-230, nota 273.

Naturalmente, la indignación contra esa *Real* Academia decidió a un centenar de intelectuales y escritores republicanos a convocar un homenaje de desagravio a Valle-Inclán que, además de Azaña, Unamuno y García Lorca, firmaba también, entre otros, Rivas Cherif (237). Por entonces, en mayo de 1932, Valle-Inclán había sido elegido, a propuesta del propio Azaña (238), presidente del Ateneo madrileño, y a continuación, el 17 de junio, dimitió de su cargo de Conservador General del Tesoro Artístico Nacional y director del Museo de Aranjuez, con el perjuicio económico que ello le reportaba. La actuación pública de Valle-Inclán iba a confirmar los temores de Azaña y el escritor se convirtió desde el principio en un permanente conflicto para el pacífico desarrollo de la política cultural republicana. Así, en una entrevista realizada por Alfredo Marqueríe y publicada por el diario *Informaciones* el 24 de junio, Valle-Inclán justificó los temores de Azaña y, en palabras de Dougherty, "hizo de su dimisión un espectáculo periodístico" (239). Azaña recurrió, una vez más, a los buenos oficios de su por entonces ya cuñado Rivas Cherif, con objeto de que el escritor se dignara retirar su dimisión. En sus *Memorias*, Marqueríe relata el incidente en estos términos:

(237) **El Sol**, 1-junio-1932; apud D. Dougherty, **ob. cit.**, p. 230, nota 237. **Luz** atribuye a Unamuno las siguientes palabras, que sirven para iluminar el sentido del homenaje: "El verdadero éxito de Valle-Inclán es su fracaso frente a la Academia de la Lengua, al negarle ésta un merecido premio" (apud D. Dougherty, **ob cit.**, p. 230).

(238) Azaña confiesa haber sido el responsable de sugerir "el nombre de Valle-Inclán para sucederme", aunque agrega: "Valle no durará en la presidencia porque él solo se basta para armar líos donde no los hay" (**ob. cit.**, tomo IV, p. 295).

(239) D. Dougherty, **ob. cit.**, p. 240.

Mi entrevista había producido impresión en el seno del Gobierno. Cipriano Rivas Cherif, cuñado de don Manuel Azaña, visitó, por encargo de éste a don Ramón, de quien era grande y devoto amigo, y le pidió que rectificara la entrevista, a cambio de lo cual, y aceptándole la dimisión de su cargo de Conservador del Patrimonio Artístico Nacional, prometían nombrarle Director de la Academia de Bellas Artes de Roma... Rivas Cherif refirió confidencialmente y cuando ya don Ramón había muerto, cómo a pesar de los pesares, Valle-Inclán no se daba por convencido. Sólo accedió a enviar una carta abierta a *El Sol* (240).

8.1- La puesta en escena de Divinas palabras, de Valle-Inclán, por la compañía de Margarita Xirgu, dirigida por Rivas Cherif

Cuando el 16 de noviembre de 1933, con decorados de Castelao, se estrenó *Divinas palabras,* interpretada por la compañía de Margarita Xirgu y Enrique Borrás, Rivas Cherif tenía motivos para sentirse satisfecho por haber podido montar finalmente, en un teatro tan prestigioso como el Español de Madrid y con la dignidad profesional que sin duda poseían compañía y escenógrafo, una obra dramática de Valle-Inclán:

(240) A. Marqueríe, **Personas y personajes: Memorias informales** (Barcelona, Dopesa, 1971, p. 261; apud D. Dougherty, **ob. cit,** pp. 239-240). Esa carta, fechada el 26 de junio y dirigida a Manuel Aznar, director de **El Sol,** ha sido recopilada por Juan Antonio Hormigón (en **ob. cit.,** pp. 587-589), quien transcribe la siguiente anotación de Azaña, con fecha 21 de junio, sobre las causas de su dimisión: "Han ocurrido, con este motivo, cosas muy pintorescas, como en todo lo que aparece Valle-Inclán. Al mismo tiempo su mujer le ha planteado el divorcio, y el juez ha ordenado que se le retenga a Valle la mitad del sueldo de su cargo. Valle es así, y como le gusta hacerse la víctima, el mismo día que puso la dimisión, delante de unos amigos envió el reloj a empeñar" (**ob. cit.,** tomo IV, p. 407).

Todavía tuve ocasión, en sus últimos años, de compensar nuestra amistad con la mía por Margarita Xirgu, y restaurar la mala opinión que de ella tenía don Ramón, por un mal entendimiento al principio de su carrera de actriz, que al cabo culminó, por mi afortunada mediación, en una de las mejores representaciones de la Xirgu: la de *Divinas palabras*, que publicada años antes, nunca había visto la luz escénica, como no la habían visto todavía algunas otras de las mejores de su pluma y del teatro español. Dificultades de orden administrativo de la testamentaría de Valle-Inclán, me impidieron dar en México *Divinas palabras* con la Xirgu, cuando con ella fui en 1936 (241).

Y páginas después, reitera esa profunda satisfacción personal: "Y me precio de haber obtenido de la difícil conformidad de Valle-Inclán el beneplácito de mi dirección: de *La cabeza del Bautista* a Mimí Aguglia y Alfredo Gómez de la Vega; y de *Divinas palabras* a Margarita Xirgu, con López Lagar, Enrique Diosdado, Enrique Guitart y Fernando Porredón (hijo), quien hizo del inocente hidrocéfalo a quien se comen los cerdos, lo que se dice "una creación alucinante" (242). Rivas Cherif consiguió convencer a Valle-Inclán, tras "restaurar la mala opinión" que éste tenía de la Xirgu, de la viabilidad de su puesta en escena. Por otra parte, de esa necesaria "refundición -a la que aludió el dramaturgo en una declaración de 1930 antes comentada-, se encargó personalmente el propio director. En rigor, el proceso de la puesta en escena se inició el 24 de marzo de 1933 con la lectura pública que Valle-Inclán realizó de la obra poco antes de viajar a Roma para tomar posesión de su cargo como Director de la Academia Española de Bellas Artes en la capital italiana (243). En una

(241) C. Rivas Cherif, "El teatro en mi tiempo", ob. cit., p. 59.

(242) **Ob. cit.** p. 64. La obra se publicó en el núm. 327 de la popular colección de **La Farsa** (16-diciembre-1933), ilustrada con dibujos de Merlo, en donde se hacía constar el extenso reparto de la puesta en escena de esta "tragicomedia de aldea". Esa misma satisfacción la reitera de nuevo en **Cómo hacer teatro, ob. cit.,** p. 68 y 254.

(243) Ya hemos comentado que Azaña sintió respeto literario pero desconfianza personal por Valle-Inclán, quien políticamente se presentó como candidato lerrouxista en las

entrevista publicada en el diario *El Sol* al día siguiente de la lectura, el dramaturgo, tras reconocer que *Divinas palabras* posee una técnica cinematográfica, pasa a elogiar a todos los componentes de la compañía y resalta en particular la función de Castelao, a quien -por exigencia expresa de Valle-Inclán, según la opinión de Paz Andrade (244)-, se le encargó la escenografía:

-¿Asistirá usted al estreno, don Ramón?

-No podré. Es más: quizá no pueda presenciar los ensayos. Me marcho en seguida a Roma. Por la interpretación no temo. Sé que Rivas Cherif cuidará esto con sumo cariño. Por otra parte, la Xirgu y Borrás han de estar muy bien en sus papeles. El complemento lo dará Castelao. De él depende, en la estampa de *Divinas palabras*, lo más inmediato para que Galicia esté en presencia en la escena (245).

primeras elecciones republicanas: "De Valle-Inclán, como no lo fundan de nuevo, nunca podrá hacerse un hombre respetable" (**ob. cit.**, p. 204). El propio Azaña le escribe a Rivas Cherif, en una carta fechada el 23 de julio de 1934: "Ahora, en Roma, Valle se cree un personaje del ruedo ibérico, en el cogollo de la vida política y se imagina que posee fuertes secretos de Estado. Naturalmente, él no podía quedarse atrás en eso de hacer el jabalí a posteriori" (C. Rivas Cherif, **Retrato, ob. cit.**, p. 648). Sin embargo, Valle-Inclán, entre muchos otros, suscribió un documento, dirigido "A la opinión pública", en defensa de Azaña, detenido en Barcelona tras los sucesos revolucionarios de octubre de 1934, documento que Gibson ha recopilado en su libro **Granada en 1936 y el asesinato de Federico García Lorca** (Barcelona, Crítica, 1986, sexta edición, pp. 297-299). Sobre el azañismo de Valle-Inclán pueden consultarse los comentarios del propio Dougherty en su libro **Valle-Inclán y la Segunda República, ob. cit.**, especialmente pp. 15-23, así como la reseña de Valle-Inclán sobre **Mi rebelión en Barcelona**, de Azaña (en Hormigón, **ob. cit.**, pp. 347-351).

(244) "Los decorados no fueron encargados a ninguno de los numerosos escenógrafos vinculados habitualmente a los teatros de Madrid. El autor exigió que fuesen creados por el artista que representaba más auténticamente el espíritu de Galicia: Alfonso Rodríguez Castelao" (V. Paz Andrade, **La anunciación de Valle-Inclán**. Madrid, Akal editor, 1981, segunda edición, p. 142).

(245) **El Sol**, 25-marzo-1933; apud D. Dougherty, **ob. cit.**, p. 250, nota 293.

Valle-Inclán declinó la invitación del diario *ABC* para publicar la ritual "Autocrítica", según información aparecida en el propio periódico:

> Don Ramón del Valle-Inclán no quiso comparecer. Días antes tampoco quiso al ser invitado por nosotros para la autocrítica de su obra.
>
> "Obra publicada hace veinte años -nos dijo- y traducida al francés, al inglés y al ruso, existen hartas críticas y juicios que excusan el mío. Otra cosa sería el comentario del arreglo teatral, hecho por el Sr. Rivas Cherif" (246).

A pesar de la pulcritud del "arreglo teatral" de Rivas Cherif y de la calidad de su puesta en escena, reconocida tanto por el propio dramaturgo como por la crítica (247), el estreno de *Divinas palabras* constituyó un sorprendente y significativo fracaso de público, al que acaso contribuyera la inoportunidad de la fecha elegida, tres días antes de las elecciones que abrieron el llamado "bienio negro" (248). Juan Chabás expuso sin eufemismos ese fracaso rotundo: "La obra de Valle-Inclán no gustó al público. Le aplaudió sin gran entusiasmo, y no faltaron protestas irreverentes. Nuestro público, mal acostumbrado, no puede ya, de pronto, gustar una obra que tiene raíces líricas hondas en

(246) **ABC**, 17-noviembre-1933, p. 41

(247) "La tragicomedia ofreció al público cierta nota de perfección y acabamiento que no es frecuente encontrar en la puesta en escena de nuestra obras" (**ABC**, 17-noviembre-1933, p. 41). Juan Chabás, tras calificar a Valle-Inclán como un "un maldito en los escenarios" y elogiar "el inquieto espíritu de realizador audaz que anima la obra de Cipriano Rivas Cherif", subrayó la plasticidad de **Divinas palabras** y el acierto de su puesta en escena: "En su conjunto, la dirección de comparsas y masas, bastante superior a la que suele verse en nuestros escenarios" (**Luz**, 17-noviembre-1933; apud. J. Esteban, **ob. cit.**, p. 126).

(248) Dougherty analiza la discutible significación política de la obra, en el contexto republicano en que se produjo su estreno, en su libro **Valle-Inclán y la ll República, ob. cit.**, pp. 128-131.

nuestra tradición popular y en nuestra mejor literatura dramática. A eso se ha llegado con la afortunada gestión de nuestros empresarios al uso" (249).

También coincidía Luis Cernuda, en un elogioso ensayo sobre el escritor, en atribuir al público la culpa del fracaso global de su dramaturgia, pues, a su juicio, "si la obra dramática de Valle-Inclán no ha adquirido tales proporciones es porque no eran posibles en la imaginación pobre del público español ni puede hablarse siquiera de que exista una imaginación española (250). Y, al denunciar "la indiferencia del público hacia su obra", se retrataba como espectador de una platea vacía y desolada: "No olvidaré una noche de segunda representación, en el Teatro Español de Madrid, de *Divinas palabras*. Apenas si asistían unos pocos espectadores, ocupando algunas butacas de las dos primeras filas" (251).

El fracaso que significó el estreno de *Divinas palabras* selló el definitivo divorcio entre la dramaturgia de Valle-Inclán y el público teatral de su época. No parece que ese fracaso lo atribuyera el autor a la labor de Rivas Cherif, Castelao o la Xirgu (252), aunque al

(249) Apud J. Esteban, **ob. cit.**, p. 126. Melchor Fernández Almagro, por su parte, escribió: "Al público en general no parece que le gustase mucho... Excelentísima ocasión para ensayar algunas consideraciones sobre la psicología, preparación y gusto de nuestros públicos" (**El Sol**, 17-noviembre-1933; apud D. Dougherty, **ob. cit**, p. 261, nota 301). En este mismo texto, el crítico reconocía que "es verdad, de hecho, que Valle-Inclán tiene teatro que podría representarse... y que no se representa. Cuando ha sido llevada a las tablas alguna obra del creador de los "esperpentos" en los últimos años, ha sido por iniciativa casi excepcional de Rivas Cherif" (apud **ob. cit.**).

(250) L. Cernuda, "Valle-Inclán", ensayo escrito en 1963 y recopilado en **Poesía y literatura I y II** (Barcelona, Seix-Barral, 1971, p. 384).

(251) L. Cernuda, **ob. cit.**, p. 385, nota 1. Sobre el tema, Juan Aguilera presentará una comunicación en el congreso aludido en la nota 109.

(252) Por entonces Valle-Inclán declararía sobre la Xirgu que "nunca ha existido una actriz como ésta. Haber visto trabajar a Margarita Xirgu será un orgullo para los públicos" (apud A. Rodrigo, **ob. cit.**, p. 10). María Casares encarnaría años después el personaje de Mari-Gaila en una puesta en escena representada en Buenos Aires, según escribe Paz Andrade (**ob. cit.**, p. 144).

parecer no le agradó en los ensayos la actuación personal de Enrique Borrás en el papel de Pedro Gailo (253). Pero lo cierto es que, tras ese rotundo fracaso, ya nadie -ni siquiera Rivas Cherif-, volverían a estrenar, en vida del dramaturgo, ninguna de sus obras. Valle-Inclán testimoniaría en adelante su simpatía por la trayectoria escénica de Rivas Cherif y la Xirgu con su asistencia, por ejemplo, al ensayo general de *Yerma* (254), para sumarse luego al homenaje a García Lorca (255). Pero Rivas Cherif y la Xirgu dejaron en junio de 1935 el Teatro Español de Madrid al haber finalizado su contrato y, tras una breve temporada en Valencia y

(253) Valle-Inclán declaró con gráfica expresividad sobre Borrás que era "un actor maravilloso... Pero agiganta los personajes... Les da demasiado empaque y autoridad... En mi obra, como ustedes saben, hace un sacristán de aldea... Pues me lo encontré convertido en el cardenal Segura..." (apud F. Madrid, **ob. cit.**, p. 354).

(254) Antonina Rodrigo (**ob. cit.** p. 205) e Ian Gibson (**Federico García Lorca. 2.- De Nueva York a Fuente Grande. 1929-1936.** Barcelona, Grijalbo, 1987, p. 334) coinciden en confirmar la asistencia del dramaturgo al ensayo general.

(255) Valle-Inclán, junto a Juan Ramón Jiménez y Alejandro Casona, entre otros, suscribió tras el estreno de **Yerma** una nota en homenaje a Lorca "testimoniándole su admiración" (A. Rodrigo, **ob. cit.** p. 212, y también I. Gibson, tomo II, p. 348). Por contra, Lorca criticó a Valle-Inclán en una explosiva entrevista publicada el 12 de agosto de 1933 por el diario leonés **La Mañana** y que Gibson resume así: "Valle-Inclán es "detestable", sólo salvándose el autor de los "esperpentos", que el poeta estima "maravilloso y genial". La Galicia de Don Ramón es una Galicia de primeros términos (nieblas, lobos...) nada más, tan mala como la Andalucía de los hermanos Alvarez Quintero, **bêtes noires**, para Lorca, de la dramaturgia española actual. El poeta, además, se ha dejado engatusar por unas recientes **boutades** de Valle-Inclán acerca del régimen de Mussolini. "Esto es para indignar a cualquiera -despotrica-, ahora nos ha venido fascista de Italia. Algo así como para arrastrarle por las barbas" (**ob. cit.**, tomo II, p. 258). Como el propio Gibson comenta, "raras veces hablará Lorca con tanta franqueza en una entrevista. Tal vez estimaba, no sin razón, que ni Valle-Inclán, ni los Quintero, ni su amigo Rafael Alberti llegaran nunca a leer aquella crónica, publicada en un periódico de provincias" (**ob. cit.**, tomo II, p. 259).

Barcelona (256), el 31 de enero de 1936 embarcaron en el puerto de Santander rumbo a La Habana. El actor Ricardo Calvo -quien, junto a Manuel Machado y el crítico Luis Araujo Costa, formaban el Comité designado por el Patronato para decidir la nueva compañía arrendataria del teatro-, declaraba sin rubor, tres días después de la despedida de la compañía de Margarita Xirgu, los nuevos pero muy rancios criterios por los que se iba a resolver el concurso:

> Procuraremos devolver al Español su fisonomía propia. La gente se desorienta porque no se puede dar al mismo tiempo el teatro de Lope y el de García Lorca o de cualquier revolucionario del teatro de la última hornada. Los experimentos, las tentativas, todo lo respetables que se quiera, deben quedarse para otros escenarios... (257).

Dos días antes, en el mismo periódico *La Voz*, el prestigioso crítico Enrique Díez-Canedo aseguraba que, "aunque Margarita Xirgu concurriera, no sería ella la elegida" en el nuevo concurso, y argumentaba las razones de su pesimismo con estas palabras: "¿Razones? Nadie las ignora. La principal, vistos los hechos, es ésta: haber dado insuperable

(256) Entre el 26 de octubre y el 11 de noviembre de 1935 actuó la compañía en el Teatro Principal de Valencia, ciudad en donde Lorca les leyó **Doña Rosita la soltera o el lenguaje de las flores** (cfr. I. Gibson, **ob. cit.**, tomo II, pp. 388-392). El 12 de diciembre de dicho año 1935 la Xirgu estrenó dicha obra en el Teatro Principal Palace de Barcelona y el 6 de enero de 1936, al día siguiente de la muerte de Valle-Inclán, se despidió del público catalán. El 31 de enero de 1936 la compañía de Margarita Xirgu, dirigida por Rivas Cherif, embarcaba en el puerto de Santander rumbo a La Habana, inicio para la actriz de un largo exilio hasta su muerte. Puede leerse un testimonio sobre la actriz, escrito por Rivas Cherif en México durante el año 1957, en el libro de Antonina Rodrigo (**ob. cit.**, pp. 306-307, nota 36).

(257) **La Voz.** 26-junio-1935; apud A. Rodrigo, **ob. cit.**, pp. 220-221.

dignidad al primer escenario madrileño" (258). Ese nuevo criterio conservador, expresado sin eufemismos por Ricardo Calvo, desterraba del Teatro Español de Madrid la dignidad escénica que representaban Margarita Xirgu y Rivas Cherif, en cuyo repertorio habían cometido el pecado mortal de estrenar, para escándalo del más añejo tradicionalismo, a los máximos "revolucionarios del teatro de la última hornada": nada menos que a Valle-Inclán y García Lorca, por ejemplo.

9.- La muerte de Valle-Inclán y el exilio de Rivas Cherif

Tras la muerte de Valle-Inclán, acaecida el 5 de enero de 1936, tuvo que ser la compañía Nueva Escena, formada por antiguos miembros disidentes de Anfistora (259), la que -en gira por Cuba y México Rivas Cherif y la Xirgu-, pusiera en escena el 14 de febrero en el Teatro de la Zarzuela madrileño el esperpento de *Los cuernos de don*

(258) Apud A. Rodrigo, **ob. cit.**, p. 221. En ese mismo texto Díez-Canedo reiteraba su convicción de que "Margarita ha hecho del Español, ella sola, lo que tiene que ser: la norma y el contraste, el decoro y la dignidad de la escena de nuestros días", mérito extensible a su director, ya que la actriz estaba "asesorada por un hombre de teatro como Cipriano Rivas Cherif" (apud A. Rodrigo, **ob. cit**, p. 222, nota 85). Sin embargo, en un fragmento de la carta escrita por Azaña a Rivas Cherif, entonces ya en México tras el debut de la compañía en La Habana -carta fechada en la Quinta del Pardo en 14 de mayo de 1936-, aquél le da esperanzas, después de haber conversado con el alcalde de la ciudad, acerca de las posibilidades de que la compañía vuelva a ocupar el Teatro Español de Madrid: "Hablé varias veces con Pedro Rico. Me dice que seguramente concederán el Teatro a Margarita, por unanimidad, y durante 6 años. Le contesté que me parecían pocos. Necesitan abrir concurso, y piensan convocarlo enseguida" (C. Rivas Cherif, **Retrato, ob. cit.**, p. 687).

(259) Valle-Inclán asistió el 25 de enero de 1935 al estreno en la sala del edificio Capitol de la Gran Vía madrileña de **Peribáñez**, de Lope de Vega, puesta en escena por el Club Teatral Anfistora, dirigido por Pura Maórtua de Ucelay, con la colaboración como co-director de Lorca y como escenógrafo de Fontanals (cfr. I. Gibson, **ob. cit.**, tomo ll, pp. 340-341). En declaraciones a la prensa el mismo día del estreno de **Yerma** (**Ahora,**

Friolera, con Juan de la Torre y María Pérez en los papeles principales y escenografía de Fontanals. En rigor, se trataba de un homenaje al escritor, símbolo del antifascismo y del Frente Popular de la cultura española (260), y en él iban a participar, según la información publicada por el *Heraldo de Madrid,* María Teresa León, Federico García Lorca, Luis Cernuda, Antonio Machado y Manuel Azaña (261). Precisamente a este último dirigió la viuda del dramaturgo, Josefina Blanco, una carta en la que le expresaba su alarma ante el anuncio de dicha representación:

29-diciembre-1934), la fundadora de Anfistora declaraba que el próximo montaje del grupo iba a ser el del esperpento valleinclaniano de **Los cuernos de don Friolera** (cfr. Gibson, **ob. cit.** tomo II p. 341). El propio Gibson, quien aduce el testimonio de Margarita Ucelay en una conversación celebrada el 4 de febrero de 1987 en Madrid, sostiene que "llevaba Anfistora varias semanas ensayando la feroz sátira anticastrense, con explícito permiso de Valle-Inclán -a quien había gustado el montaje de **Peribáñez-,** pero, muerto el dramaturgo, su viuda había pedido a Pura Maórtua que se aplazara el estreno, pues no quería éste provocara un escándalo político. Anfistora tuvo que acceder oficialmente a los deseos de la viuda, pero varios actores del grupo, en desacuerdo con el aplazamiento, se integraron en Nueva Escena y montaron por su cuenta la obra" (I. Gibson, **ob. cit.,** tomo II, p. 421)

(260) Sobre el tema puede leerse mi folleto **Valle-Inclán, antifascista,** publicado como número 1 de la coleción Estrafalaria de nuestro Taller (Sant Cugat del Vallés, Cop d'Idees-Taller d'Investigacions Valleinclanianes, 1992).

(261) "Un grupo de auténticos escritores, personales, rebeldes, independientes, "extraoficiales" en suma, ha tenido el buen acuerdo de organizar un homenaje popular a la memoria del insigne escritor don Ramón María del Valle-Inclán, con la cooperación de la compañía dramática "Nueva Escena" (**Heraldo de Madrid**, 13- febrero-1936; apud J. A. Hormigón, **ob. cit.,** p. 627).

Señor don Manuel Azaña

Distinguido amigo:

Cumpliendo los deseos de mi marido (q.e.p.d.) expresados en carta dirigida a mí, y en plenitud de mis derechos legales, por mí y como representante de mis hijos, he dado orden terminante en la Sociedad de Autores prohibiendo todas las representaciones teatrales de las obras de mi marido, y muy especialmente una que anuncia cierta sociedad anónima, sin prestigio moral y sin categoría artística imprescindible para representar obras de mi marido.

Espero de usted, que tan buen amigo fue de mi marido, y que tantas atenciones me ha dispensado a mí, espero, repito, que me ayude a respetar su voluntad y que no autorice con su nombre el atropello que se pretende cometer con esa absurda representación. He dado cuenta al Sr. Portela de mis deseos y propósito, aviso en la Dirección de Seguridad y estoy decidida a no consentir una burla intolerable cuyos propósitos y alcances no desconozco. Confiada en su amistad y en su caballerosidad, le saluda afectuosamente

Josefina Blanco, viuda de Valle-Inclán (262).

---

(262) "Esta carta sin fecha, que al parecer fue entregada en mano en casa de Azaña por Jaime Valle-Inclán, debió escribirse pocos días antes del homenaje proyectado en el Teatro de la Zarzuela para el 14 de febrero de 1936" (J. A. Hormigón, **ob. cit.**, p. 634, anotación que realiza al transcribir la carta citada). Leda Schiavo, al editar esta misma carta, hace constar el siguiente "Agregado": "Copia literal de la carta a que aludo referente a representaciones teatrales. Y en ella se alude clarísimamente, además, a figuras eminentes de la escena española: "Tú sabes que maldito lo que me importa que se hagan o dejen de hacer mis obras. Francamente tú sabes que me descompone que se hagan. Yo no conozco tortura mayor para mi sensibilidad estética que ver representada una obra mía. Todo es distinto de lo que yo había pensado. ¿Tiene algo que ver la representación con las acotaciones que yo pongo? Estoy seguro que mis acotaciones darán una idea de lo que

Azaña, en una carta presumiblemente tranquilizadora acerca de los "propósitos y alcances" del homenaje proyectado -cuyo texto desconocemos-, consiguió disipar los temores de la viuda (263) y el estreno de *Los cuernos de don Friolera* pudo finalmente realizarse aquel 14 de febrero de 1936, dos días antes de la victoria del Frente Popular en las últimas elecciones democráticas de la II República española y justo el mismo día en que debutaba la compañía de Margarita Xirgu y Cipriano de Rivas Cherif en La Habana. Era el día simbólico en que comenzaba el largo exilio de la dignidad escénica en el teatro español.

quise hacer, mucho más acabada que una representación". (L. Schiavo, "Cartas inéditas de Valle-Inclán". **Ínsula**, 398, enero de 1980, p. 10). Ésta es, por tanto, la carta escrita por Valle-Inclán a Josefina Blanco que su viuda invoca ante Azaña.

(263) En una carta dirigida por Josefina Blanco a Azaña, fechada el mismo 14 de febrero de 1936, la viuda escribe: "No tengo palabras para agradecer a usted su carta y el consuelo que con ella he recibido" (apud J. A. Hormigón, **ob. cit.**, p. 635). El propio Hormigón afirma que "Jaime Valle-Inclán me comentó hace algunos años, que fue él quien llevó el escrito a casa de Azaña y que su madre estaba muy excitada y repetía que "aquello era cosa de los comunistas" (**ob. cit.**, p. 627). Sobre las relaciones entre los comunistas y Valle-Inclán puede leerse mi folleto citado en la nota 260.

ÍNDICE